メディアワークス文庫

竜胆の乙女
わたしの中で永久に光る

登場人物

RINDOU NO OTOME
Watashi no naka de Eikyu ni hikaru

Characters

竜胆《りんどう》

菖子【しょうこ】

父の家業を継ぎ
二代目「竜胆」を襲名するべく
金沢にやってきた。

叡一【えいいち】

菖子の父にして初代竜胆。

商物《あきもの》

八十椿【やそつばき】——
星を思わせるような中性的な美少年。

藤潜【ふじくぐり】——
力強い美しさを持つ褐色肌の美男

惜菫【せきすみれ】——
月の光のような眼鏡美男。
色白で細身。

下男《げなん》

檜葉【ひば】——
稚児のように小柄な青年

立山【たてやま】・**白樺**【しらかば】——
双子のように似通っている
体格の良い青年。

竜胆の乙女

一

明治も終わりの頃である。

先代の竜胆《りんどう》が亡くなり、娘が後を継ぐというので、私たちは腕車の到着を待っていた。たいそうな造りの門が開いて、車夫を務めた下男の白樺《しらかば》が「お着きい」と歌うように叫ぶのを今か今かと待っていたが、代わりに庭園の方から声がしたので私たちは拍子抜けしてそちらへ向かった。

「お嬢様、あぶのうございます。おやめください」

「あら、随分と心配性ね。女学校にて家事裁縫音楽木登りいずれも優秀な成績をおさめたこのわたしを見くびってもらっては困るわよ」

「女学校で木登りは教えますまい」

「最近の女学校では教えるのよ」

「そんな馬鹿な」

私たちはぞろぞろと大広間の宴会場へと移動して、硝子《ガラス》窓から庭園を眺めた。

客人を持て成すための庭園はいつ見ても見事である。赤い橋のかかった大きな池には金魚や緋鯉《ひごい》が悠々と遊んでおり、奥を見遣《みや》るとささやかながらも滝が清流を放っている。

下男の檜葉《ひば》が毎日掃き清めるために石畳には塵《ごみ》ひとつなく、躑躅《つつじ》や黐《もち》の木《き》など様々な庭木の手入れもよく行き届いていた。

しかし今はこの趣深い庭園の、中でもひときわ立派な松に、一人の娘がしがみつき、じりじりと登っているのだから珍妙だ。皆顔を見合わせて苦笑した。

「最近の女は皆ああなのかな」

「さあ、どうだか。東京ではああするのが流行なのかもしれない。金沢じゃまず見ないがね」

藤潜《ふじくぐり》の問いかけに惜菫《せきすみれ》が答えた。どちらも目の覚めるような美男子である。その隣で八十椿《やそつばき》が言う。

「ああ、なんだか猫がどうとか言っていますよ」

私たちは硝子窓を開け、縁側に出て行って耳を澄ませた。確かに猫が猫がという甲高い声が聞こえる。どうやら娘は松のてっぺんに登ってしまった仔猫《こねこ》を助けたいらしかった。私たちは今にも娘が悲鳴を上げて落ちて来るのではないかと気が気ではなかったが、ところが娘はそれは逞《たくま》しく登っていき、ついに松のてっぺんまで辿《たど》り着《つ》いた。

その後しばらくして娘は仔猫を抱えて無事に松から降りたが、降りた先は庭園の垣根の外側だったため、様子はよくわからなかった。ただ娘のあっけらかんとした元気な笑い声が聞こえてきたので、その様子から娘が怪我《けが》ひとつしていないことがわかった。

「お嬢様のお帰りい」

程なくして玄関の方から白樺の歌うような声が響いた。私たちは室内に戻り、硝子戸を閉めて玄関の方へ向かった。

玄関はえらく賑《にぎ》やかで、普段陰気に過ごしている私たちはどうも気まずく、重い足取りでぞろぞろと娘を出迎えることとなった。

娘は沓脱《くつぬぎ》でからからと笑いながら手の中の白い物を振り回していた。見ればそれは穴の開いた手拭いである。

「ああ、あんまりだわ。だって仔猫だと思って頑張ったのに白い手拭いだったんですもの。でも可笑《おか》しいったらないわ。さっきからわたし、笑いが止まらないのよ」

どうやら木のてっぺんで降りられなくなっていたものは仔猫ではなかったらしかった。ただ絡まった白い手拭いを、可哀想《かわいそう》な仔猫だと勘違いして娘は木に登ったのだった。裾を絡げた着物は汚れ、白い顔には松葉で擦ったらしいかすり傷がついていたが、娘はどこ吹く風である。可憐《かれん》に結われたマガレイトには松葉がいくつも刺さって簪《かんざし》のようになっている。とんだお転婆娘であるらしかった。

互いに呆《あき》れ顔《がお》を見せ合いながら、私たちは威勢のいい娘の笑い声を聞いていた。

しかし下男の立山《たてやま》と檜葉は顔を曇らせて囁《ささや》き合った。

「松の木にかかった手拭いって、まさかおかとときのじゃねえだろうな」

「まさか。風流好みのおかとときがあんな汚い手拭い寄越すわけないさ」

すると立山が、腕車を片づけて戻って来た白樺に声を掛けた。この屋敷《やしき》にいる下男は檜葉、白樺、立山の三人である。

下男はいずれも青年であるが、檜葉だけ小柄、夜の色をした黒髪を首の辺りで切《き》り揃《そろ》えているので見た目はまるで稚児のようである。一方白樺と立山は双子のように似通っており、背が高く体格も良かった。二人の長い前髪は目の辺りまで伸び、片方の目だけが露出している。右目が露出しているのが白樺、左目が露出しているのが立山であった。しかし何より目を引くのはやはり三人の端整な顔立ちであった。三人とも驚くほど整っているのだが、それは作り物めいており、彼等《かれら》を見ていると美しい人間の剝製の中で、何かが、喋《しゃべ》ったり動いたりするような奇妙な感じがあるのだった。

下男の三人は曇った表情のままひそひそと話し合っていたが、

「あの手拭いはおかとときのものではない」

と結論付け、相談の輪を解いた。

檜葉は娘を屋敷に上げ、表座敷《おもてざしき》へと通した。上框《あがりかまち》に間抜け面で立っていた私たちはまたぞろ移動する。おのおのが座布団に腰を下ろすのを見計らって檜葉が言った。

「こちらがお亡くなり遊ばした先代の竜胆のお嬢様です」

惜菫と八十椿と藤潜がばらばらに軽く頭を下げる中、娘は松葉の簪の彩るマガレイトをひょいと傾けてこう言った。

「どうも菖子《しょうこ》と申します」

なんてことはない挨拶だが、ここでは少しばかり事情が違う。一同顔色をさっと変えて身構えた。血相を変えた檜葉が慌てて娘を窘《たしな》める。囁きのような叱責の声は震えている。

「いけません、お嬢様のお名前はこの屋敷に入った今から竜胆となりました。本当の名をここで口にすることは今後はお止めくださいい」

「あらどうして。自分の名を名乗ることがそんなにいけないことかしら。お父様がくださった大事なお名前なのよ」

「それなら尚《なお》のこと大事になさいませ。ここで名を名乗るとおかときに辿られてしまいます」

「おかとき？」

突如現れた名に娘は興味津々といった様子、御日様《おひさま》の如《ごと》く表情を明るくした。しかし檜葉は物々しい表情だ。忌々しいその名前に自然と端整な眉間に皺《しわ》が寄る。

「おかときといいますのは、お嬢様が今日からお相手するお客様の通称でございます。後でしっかりとご説明しますから、そう焦らずとも。とにかくお嬢様の名は今日から竜胆、お亡くなり遊ばした御父様から受け継いだお名前です。その自覚をお持ち遊ばせ」

「竜胆、それがお父様のここでのお名前だったのね。雅号かしら、なんだか不思議ね」

娘、もとい竜胆が面白そうに言うのを八十椿が棘《とげ》のある物言いをした。

「きみは何も知らないんだな」

「ええ、わたしは生まれたときから東京で、お父様はずっと金沢にいらっしゃったから、お会いすることもあまりなかったのよ。先日お父様がお亡くなり遊ばして、わたしがその仕事を引き継ぐよう連絡があったけれども、わたしはお父様が金沢でどんな仕事をなさっていたのか何も知らされていなかったの。でも、別に悪い気はしないわ。今はすべてが新しく感じられていい気持ちよ。何か不都合なところがあって？」

どうも気の強い娘である。八十椿の棘に弱るどころか目元鋭く受けて立ったので、彼は少し怯《ひる》んだ様子、座布団の上で組んでいた脚を崩して投げ出し、そっぽを向いた。八十椿はこの中ではまだ年若く、見たところ竜胆と同じ年の頃である。藤潜や惜董と同じく容貌は美しく、そっぽを向いて露《あら》わになった白い首筋も、硝子細工のように繊細に映った。

「それであなた達は？　ここで働いていらっしゃるの？」

竜胆は今度は目の前の美しい三人の男、惜董、八十椿、藤潜に問いかけた。しかし三人の代わりに答えたのは下男の檜葉であった。

「この者どもはうちの商物《あきもの》です」

予想外の答えに竜胆は少し面食らった。しかしすぐにそれを冗談だと判断し明るく笑った。

「まあ、人に向かって商物だなんて。たちの悪い冗談だわ」

玄関で聞いた豪快な笑い方と違い、若い娘らしくころころと鈴の鳴るような笑い声であった。しかしどうも作ったような愛想笑いである。

檜葉は竜胆の笑い声に同調せず重々しい表情のまま言う。

「冗談ではありません、この者どもは本当に商物なのですよ」

「おやめなさいよ、そんな物言い失礼だわ。素直にここで働いている方たちだと言えばいいじゃない」

竜胆の声が少し低くなった。どうやら人を物呼ばわりすることに抵抗があるらしかった。しかし竜胆の厚意からするりと抜けるように藤潜が吐き捨てた。

「本当だよ。俺たちはここでは本当にただの商品なのさ」

藤潜が言い終わると、惜菫と八十椿が美しい顔を見合わせて意地悪く笑った。嫌な笑い方だった。

竜胆は浮かない表情のまま逃げるように話題を変える。

「それで、この屋敷には他にどんな方がいらっしゃるの。わたしが暮らしていた東京の家はここよりずっと小さくて下女も一人しかいなかったけれど、ここはずっと大きくて下男だって三人もいるのね」

「ここにいるのは竜胆の他に、今目の前にいる惜菫、八十椿、藤潜の三つの商物、そしてわたくしども檜葉、白樺、立山の三人ですべてです。他には誰もおりません」

「皆変わったお名前なのね」

「これらはすべて先代の竜胆がくださった名でございます。ここにいる者はすべて本当の名は捨てました」

竜胆の眉根に皺が寄る。しかしすぐに姿勢を正し、口の端に笑みを浮かべて言った。

「なるほど、商物だの名前を捨てただの、ここは不思議なことだらけね。お父様がどんなお仕事をなさっていたのか、話を聞いても何一つ理解できないわ。お父様は随分な秘密主義でいらっしゃったみたいね」

「今はわからなくたって、夜になれば嫌でもわかるさ。秘密主義のお父様のお仕事を見て、泣いて叫んで逃げだしたって、俺たちは知らないぜ」

横槍《よこやり》を入れるように藤潜が言う。

商物の三人が美しい顔を見合わせて意地悪く笑った。その笑い声があまりに大袈裟《おおげさ》で品がなかったので、竜胆の白い顔は見る見る赤く染まっていく。気が強いとはいえまだ十七の娘である。男どもの下卑た笑い声に囲まれるのは耐えがたい羞恥であった。

笑い声は座敷を埋めていくばかりで一向に引く気配がない。檜葉はとうとう苛立《いらだ》って商物の座布団を引《ひ》っ摑《つか》んだ。ちょうど娘の瞳に涙が滲《にじ》み始めたのと同じ頃である。

藤潜が畳の上に転がった。それに追い打ちをかけるように檜葉は両の手を振り回し、惜菫と八十椿を部屋から閉め出した。転がった藤潜はさらに踵《かかと》で蹴飛ばされた。

「黙れ黙れ、この木偶《でく》の坊どもめ。さっさと自分の部屋に戻るがいい。日が沈んだらお前たちの仕事が始まるぞ。調子に乗りおって癪《しゃく》に障るわ。いつものように膝を抱えて震えて待っていろ」

襖《ふすま》をぴしゃりと閉められて廊下に転がり込んでも尚、商物はげらげらと笑っている。その声は悪党のそれによく似ていた。品の無い笑い声は徐々に小さくなりそして消えた。

「随分と意地の悪い方たちだわ」

「気になさいますな、あんな奴らのことなんか」

檜葉は散らばった座布団を片付けると竜胆の前に座り直した。その顔は心持緊張している。

「これから竜胆のお勤めについてご説明します。これは先代が、御父様がなさっていた大切なお勤めです。たいへん難しいことでございますから、決して気を緩めないように」

「そんなに難しいお勤めなの。随分と重々しく言うのね。まるで失敗すれば命を取られるとでもいうような」

「そうです」

　檜葉がぴしゃりと言い切った。竜胆の唇が強く結ばれた。

「まず、竜胆が今晩からお相手するお客様のことでございますが」

「おかととき？」

「ええ。そしてこれは先代が便宜上つけた名前、あれらに本来名前などありません」

「名前がないだなんて。それは一体どういった方たちなの」

「おかとときは人ではございません」

「そう、ではその方たちも商物なのね」

「そうではありません。おかとときはあの三人とは違い、本当に人ではない、恐ろしい存在なのです」

「まるで神や妖怪の類のような」

「それに近い存在です。しかし神でもないし妖怪でもない」

「わたしが言ったのは冗談だったのよ。真に受けないで。本当はどういった方たちなの」

「申し上げたのはすべて本当のことでございますよ」

　竜胆は渋い顔のまま檜葉を見た。夜の色をした檜葉の大きな二つの瞳が竜胆を見つめぎらぎらと光る。

御日様の沈む頃、夜の皮を一枚剝がしておかとときはこちらへやってくる。そして気《き》紛《まぐ》れに気に入ったものに玩具《がんぐ》の徴《しるし》を付けて連れて帰る。おかとときに徴を付けられた者は決して逃げられず、おかとときの住まう処《ところ》へ引かれて行き、生涯そこで玩具となって暮らすのである。

「先代はこのおかとときを屋敷にわざわざ呼びこんで、音楽や料理や遊びなど人の享楽の真似事《まねごと》で持て成し、財を築きました。お嬢様の着ているそのご立派なお着物もおかとときから貰《もら》ったようなものです」

町の小路《こうじ》に並ぶ仕舞屋の中でもひときわ目を引くこの屋敷を見れば、娘の父親の商いがたいそう繁盛していたことがわかる。商物の三人の着物はもとより、下男であるこの檜葉でさえ結城紬《ゆうきつむぎ》を身に着けており、東京で暮らしていた娘の菖子にも何不自由ない暮らしをさせていたというから、その財の豊かなことは疑いようもない。

「そう、おかとときというのは、人ではないのにお金をたくさんお持ちなのね。まるで福の神だわ。とても恐ろしい存在だとは思えなくってよ」

竜胆はどこか皮肉っぽく言った。まだ檜葉の言うことが信じられぬ様子である。

「油断なさいますな。おかとときが興に乗れば富を得ることができますが、機嫌を損なえば恐ろしいことが起こります。わたくしどもはおかとときが愉《たの》しめるよう、最善の持て成しをしなくてはなりません。とにかく、おかとときが悦《よろこ》ぶような人の遊びを人ならぬ怪異に提供しなくてはいけない。愉しくなければこの場所がある意味はない。これを忘れないことです」

「まだよくわからないことばかりだわ」

「話を聞くよりも実際に見る方が早いでしょう。今晩はわたくしが竜胆の代わりにお勤めを果たしますから、ようくご覧になってください。しかし絶対に声をあげてはいけません。おかとときの興を殺《そ》ぐことだけは絶対にしてはなりません。わたくしの隣で毅然《きぜん》たる態度で座っていてください」

それから檜葉は竜胆を台所へ連れて行った。そこには既に下男の立山が今宵《こよい》のおかとときを持て成す料理を拵《こしら》えていた。料理が得意だと自負する竜胆は意気揚々として隣に立ったが、器に盛られているのが四季折々の花であったために意気消沈した。これではまるで食器に生け花をしているようなものではないか。

「おかとときはお花を召し上がるの」

「そういうわけではございません。先ほども述べましたが、これは人の享楽の真似事。おかとときは物を喰《く》いません。そもそもあれらには鼻も口も見当たりません」

「我々はおかとときが気に入るような趣向を凝らしているだけですよ。今回はたまたま花ですが、それぱっかりじゃ飽きるから、明日は別のものを考えなきゃいけませんや」

檜葉の説明に立山が割って入った。せっせと花を器に盛る腕は程よく筋肉がついていて逞しい。腕車を引く仕事のせいかもしれなかった。

「そう、でもお花ならわたしも得意だわ。やらせてちょうだい」

それから少しずつ日が傾いていき、その色が橙《だいだい》に輝き始めた頃である。長い廊下の奥の方からわあっと湧き水のごとく男の悲鳴が溢《あふ》れてきた。

「いやだ、俺は嫌だ。帰る、帰るんだ。こんなところ一秒だっていたかない」

およそ成人の男とは思えない、まるで子供が駄々を捏《こ》ねて泣きじゃくる様に、ただごとではないと竜胆ははっと顔を上げて廊下を見遣った。それと同時に身を翻したのは立山である。

「おお、おお、いつものやつが始まりやがった。おれ、ちょっくら行って来る」

「一人で大丈夫かね」

「あの声は藤潜だろう。奴なら腹に拳骨《げんこつ》を撃ち込んでやりゃ一発さ。慣れりゃそこにいるお嬢さんだって行けるや」

「そうか、他の二人が暴れ始めたら呼んでくれ」

「うん、わかった」

物騒な会話に竜胆の顔は青に染まり、立山が台所から出て行くのを慌てて追いかけようとした。しかしその腕を檜葉が強く引いた。

「立山の仕事の邪魔をしてはいけません、竜胆」

「人を殴りつけるのが仕事なものですか。しかもあんなに泣いて喚《わめ》いている人を」

竜胆が言い切らない内に、ぎゃっと短い悲鳴が廊下まで漏れて響いた。

「おかとときがやって来る時刻になると、ああやって商物の連中は仕事をしたくないと泣いて駄々を捏ねるから、わたくしどもが灸《きゅう》を据えてやるんです。立派な仕事ですよ」

廊下はしんとして不気味なほど静かである。泣き声も悲鳴も何一つ聞こえない。

「おや、終わったかな。どうやらおれが出ていく必要はなさそうだ」

竜胆が何か言おうとする前に、檜葉が言った。

「膳はこれでいいでしょう。おおむね調いました。あとは立山一人で何とかなりましょう。忙《せわ》しなくて済みませんが、竜胆の仕事はたくさんあって閊《つか》えてるんです。そろそろ身支度に移りましょう」

台所を出て長い廊下を歩く間に、竜胆は半ば不安げに吐き捨てた。

「ねえ、おかしいわ。お父様は本当にこんなお仕事をなさっていたの。泣き叫ぶ人を力で押さえつけて言う事を聞かせるような、そんな粗野なことをお父様がお許しになるとは思えないわ。お父様は大らかで優しい方でいらっしゃった。何かの間違いではなくって？」

檜葉が案内したのは先代の竜胆の仕事部屋であった。

六畳ほどの部屋にあったのは、衣桁《いこう》に掛けられた絣《かすり》の羽織《はおり》、灰で汚れた煙草《たばこ》盆、蓋の閉まり切っていない練歯磨など、生前のままの父親のあらゆる私物。これらを見た娘はすっかりしおらしくなり、言葉を失ってたちまち深い感傷の海へと沈んでいった。

檜葉が簞笥《たんす》の奥深くから濃い紫色の羽織を出し、娘の前に置く。

「これは先代の竜胆がお勤めのときに身に着けていたものです。お嬢様もお勤めの際はこれを着けてください。これさえ着ていれば、おかとときはお嬢様をこの屋敷の主だと認めて、とりあえずは手を出すことはしないでしょう」

娘はこれを両手で受け取り、じっと見つめたのちにさめざめと泣いた。強気に光っていた瞳は脆《もろ》く溶け、雪解け水のようにしとどに涙を滴らせている。娘は囁くような声でこう言った。

「わたしはお父様の死に目に会うことができなかった。こんなに急にお亡くなり遊ばすなんて、思ってもみなかった。大した孝行もできず、お傍《そば》について差しあげることもできず、わたしはなんて薄情な娘でしょう。お父様がわたしにお残しになったのはこの深い紫の羽織だけ。本来ならばお父様のためにも立派にこのお勤めを果たさなければならないというのに、何も知らぬ上に疑ってばかりで」

娘は肩を震わせはたはたと涙を落とした。娘の胸中を察した檜葉は慰めるように言う。

「御父様は心を鬼にしなければならない事情がおありだったのです。今は信じることができなくとも、御遺志を受け継ぐことで、いつかはその真意が理解できる日が来ましょう」

娘は静かに頷《うなず》くと、羽織を恭しく押し戴《いただ》いて、深い紫を身に纏《まと》った。その頃にはもう涙は渇き、気の強い瞳に戻っていた。

「わかりました。お父様のお勤め、このわたしが立派に果たしてみせます」

そのときである。

「あ、いらしった」

見ると檜葉が天井の方に手を伸ばしている。どこから入ってきたものか、鶯《うぐいす》によく似た小鳥が天井を這《は》うようにぐるぐると飛んでいる。鶯色の小鳥は輪を次第に小さくして飛び続け、その輪が点となった頃、とうとう一枚の笹《ささ》の葉になって舞い落ちた。檜葉は二本の指でそれを挟む。そして葉の表を眺め、言った。

「変更なし、予定通り」

檜葉は隣で不思議そうにしている竜胆に葉を見せた。

「これはおかとときがこちらにやって来る合図です。白樺と立山を迎えに遣りましょう。わたくしどもの持て成しはここから始まります。いつものように腕車を出してお迎えに上がるのです」

檜葉は部屋を飛び出して廊下の奥に向かって大声で立山と白樺の名を呼んだ。すぐに返事があって、二人は腕車を出しに向かったらしかった。

「この仕舞屋にお客様をお呼びするの」

「そうです。表立ってできる商売ではございませんから却《かえ》って都合が良《い》いのです。さあわたくしどもは宴《うたげ》の支度をしましょう」

今宵の宴は大広間の宴会場で行うようである。檜葉と竜胆は四七畳の部屋に先程拵えた花の御膳を運び込み、それを次々と並べ始めた。特に檜葉は慣れた手つきでその動きには無駄がない。竜胆は初めて見る大広間が気になる様子で、下座に立てられた金の屛風《びょうぶ》や硝子戸から見える庭園に目を奪われては、その度に檜葉に叱責されていた。

竜胆が座布団を並べていると白檀《びゃくだん》の香りが漂い始めた。檜葉が香炉を設置したらしい。振り向いた頃には檜葉は金の屛風の裏から琴を引っ張り出すところであった。息を吐《つ》く間もない忙しなさである。

「竜胆は琴はお弾きになりますか」

「ええ、わたし鳴り物は大概弾けてよ」

「それは頼もしいことです」

そう言うと檜葉は矢継ぎ早に大広間を抜け出していった。

白檀の香りが大広間全体に広がった頃、商物と呼ばれる例の美しい三人の男が檜葉に連れられやって来た。三人とも憎まれ口を叩《たた》いていた昼とは打って変わって、顔色が悪く大人しい。愚図愚図して宴会場に入りたがらないのを檜葉が後ろから蹴飛ばして強引に中に入れた。中には首根っこを掴まれて強引に中に転がされたのもいる。

「おい木偶の坊ども。自分の役目はわかっているな」

檜葉の大きく開かれた目がぎらりと光ると、三人は観念した様子で大人しく金の屏風の前に正座した。いずれも浮かぬ陰鬱な面持ちである。三人のための座布団はここにはなかった。

「ねえ、さっきから乱暴すぎるんじゃなくって」

竜胆が檜葉を咎《とが》めた。途端に檜葉の大きな目が険しく光る。

「そんな温《ぬる》いことじきに言っていられなくなりますよ」

檜葉は今度は竜胆を玄関まで連れて行き、上框の手前で座った。おかとときを出迎えるための準備である。

「いいですか、間もなくおかとときがこの屋敷にやって来ます。この先どんなことが起きても、絶対に声をあげてはいけません。おかとときの興を殺ぐことだけは絶対にしてはなりません。わたくしの隣で毅然としていてくださいよござんすね」

その内に砂利を踏みしめる車輪の音がして立山と白樺の声が響いた。

「お着きい」

檜葉の頬が緊張でぴんと張るのを私たちは見逃さなかった。しかし次に見たときには彼は顔からはみ出んばかりの媚《こ》びた笑みを浮かべ、颯爽《さっそう》と立ち上がって玄関の戸を引いていた。

「さあようこそいらっしゃいました。どうぞどうぞおあがりくださいまし」

叩《たた》き売《う》りでも始まるかのような大声である。竜胆は檜葉に言われたとおり黙って彼の隣に立っていた。檜葉に倣い笑みを浮かべようかと思ったが、現れた異形の客人を眼前にすると途端に動くことができなくなった。

静かに、尾を引くようにして、夜の闇とは違う色の濃い闇がいくつもいくつも車から出てきたのである。それはぬっと現れては人の形になるようだけれども、じっと見れば靄《もや》とも雲ともなって形が定まらない。伸びたり縮んだりを繰り返すが、目を凝らして見ると背に冷たいものがぞわぞわと這いまわるので長く見ることは適《かな》わなかった。寒気と怖気《おぞけ》が押し寄せるのに耐えつつ盗み見るようにしてみると、こんなのがざっと三十はいる。腕車は二人乗りの珍しいもの、二台あるといえども数が合わない。その事実も不愉快である。

檜葉が先頭に立ってこれらの客人を大広間に案内する。竜胆はこれに出遅れたためにぞろぞろと移動する闇の群れを眺めることしかできなかった。これらは静かであるのに実にざわざわと五月蠅《うるさ》い動きをする。

「今行ってもお客様の邪魔になるから暫《しばら》くそこに居るといいや。おれらも車を片したら大広間に行くから共に行こう」

立山がこう言うので、新しい屋敷の主はのろのろと下男二人について大広間へ続く廊下を歩いて行った。

「今日は花の御膳だったからきっといつものあれをやるんだろうなあ。今宵のおかととき《》はあれで満足するだろうか？」

「わからん。先代の竜胆なら空気が悪くなりゃ機転を利かせてあれやこれやできるんだが、今日は檜葉しかいないからなあ」

「先代の考えた余興だけでこの先やっていくんじゃじきにおかとときも飽きちまうな。お嬢さんの方に新しい余興を考えてもらわなきゃいけねえ」

「念のため焼け火箸を用意しておこうか」

「うむ」

竜胆は下男二人の会話の意図が汲《く》めなかったが、かといっておいそれと声を出すこともできずにいた。大広間が見えてきたと思ったら、急に檜葉に強引に腕を引かれて客人たちの前に突き出された。

「こちらが先ほどお話しした二代目の竜胆でございます。未熟者ゆえ本日は代わりにわたくしがお勤めをさせていただきます。至らぬこともございますが何卒《なにとぞ》ご容赦いただけると幸いにございます」

檜葉が深々と頭を下げるので竜胆も慌てて頭を下げたが、ふいに見えた檜葉の脚は冬かと思うほどに震えていた。

――やあこれが例のお嬢さんか。でかい図体《ずうたい》の先代からこんなに華奢《きゃしゃ》なお嬢さんに交代だなんて随分な変わりようじゃないか。

――先代と違って随分かわいらしいこと。

――やあ、お父さんが亡くなってお気の毒だったね。竜胆もあんな大きななりをして簡単にくたばってしまうんだから、情けないじゃないか。

口はないのに喋りは達者とみえて、客人は思い思いに言いたいことを言っては笑う。その声は男とも女ともつかず、また二重にも三重にもなって響いた。重く太い声で響くのに、耳を澄ますと中に一本氷のような硬い芯が通っているので耳にする方はぞわぞわと居心地が悪く耳障りである。

さてこれから何が始まるのかと身構えていると、白樺と立山が金屛風の前に座っていた例の美しい三人の男を引きずって客人たちの前に突き出した。ごろりと転がる彼等の前で脅すように地団駄踏むと、三人は再び礼儀正しく正座した。

「本日はお花の御膳をご用意しております。お道具もご用意していますから、お好きにどうぞ」

おかとときがどっと沸いた。最初に標的になったのは惜董である。

惜董は肌の色白く、女のように細身、月の光のような美男であった。香料よろしく纏うのは憂い、細い眉はいつだって顰《ひそ》められ、悩まし気にしてそこにいる。眼鏡は彼の気難しい印象を強めたが、その奥にある二つの瞳は、まるで海の底で静かに光る宝石のようであったので、見る者は感心してそれに見入ってしまうのであった。

誰が触るともなく惜菫の口は自然と開いた。顎が外れるかと思うほど大きく開かれ、喉の奥から、ああ、ああ、という呻《うめ》き声が聞こえる。

――いったい幾つ入るだろうかねえ。ねえきみ、少し賭けてみませんか。

――いやあ、この花は大振りだから、そんなには入らないんじゃあないか。

――この花はなんという名前なのかね。

「それは浜茄子《はまなす》でございます」

おかとときの問いに檜葉が答えた。

――なるほどそうか。

御膳の箸がついと浮いて浜茄子をひとつ摘まんだ。しかしそこに横槍が入る。

――でもあたくし、ひとつのお花よりも色んなお花を詰めてみたいわ。そっちの方が見栄えがいいんじゃなくて。

――なるほど一理ある。賭けはひとまずやめておきますか。

――そうしましょう。

すると浮いた箸がついと動いて惜菫の口の中に浜茄子をぐいと押し込んだ。加減を知らぬらしく奥へ奥へと箸は入り、あまりの苦しさに惜董の目や鼻や口が濡《ぬ》れて汚れた。

——まずひとつ入ったかな。

おかとときが満足気に言った。浜茄子は彼の唾液に塗《まみ》れててらてらと光っていた。惜董が呑《の》み込んだ浜茄子を吐いてしまった。しかしその矢先、惜董はまだ咳《しわぶ》いている。

「うちの玩具がたいへん失礼致しました。あとできつく叱っておきますから」

檜葉が頭を下げるとおかとときはこれを遮って、

——いやいやこれも少しは面白かったから。

——どうだろう、色んな花を詰め込んで、彼が何を吐き出すかを当ててみるというのは。

おかとときがそう言うや否や御膳の箸がいくつも持ち上がって惜董を囲んだ。おかとき自体は膨らんだり縮んだりを繰り返す幻影のようなものでその場からは動かない。ただ箸だけがついと浮いてあちこちに動き回るのである。しかし箸の作法はよくわからないと見え、ただしく花を摘まんでいるのもあれば、突き刺しているのもあった。

花は次から次へと彼の腹の中に押し込まれ、惜董の無様な悲鳴が響く度に、おかとときは、

——いいねえ。

と機嫌を良くした。惜董の腹はとうとう子を宿した女のごとく膨らんだ。

これに気分を害したのはこの屋敷の新しき主である。彼女は蛮行を止めるべく眼光鋭

く惜菫のもとに駆《か》け寄ろうとしたが、立山がこの娘の腕を摑み叱責した。露出した左目がぎらりと光る。

「いけねえやお嬢さん、勝手なことせず大人しく座ってな。下手打ったらおれ達全員死んじまわあ」

竜胆は、夕方藤潜がこの立山に殴り倒されたことを思い出した。さらに檜葉の言いつけも思い出し、苦々し気な表情を浮かべて静かにその場で両膝を折った。

腹のぱんぱんに膨らんだ惜菫が泣きながら花を吐き出すのを見ていると、別のおかときが言った。

——あたくしその遊びは退屈だわ。花の御膳ですもの。いつもの遊びがしたいわ。

このおかときが選んだ玩具は八十椿であるらしかった。

八十椿は星を思わせるような美少年であった。大人しく繊細で、美しい漆黒の髪と大きな瞳を持っていた。年若いゆえに男でもなく女でもないところにいて、笑うときもはにかむような弱さがあり、この先、光と闇のどちらに落ちていくかわからない、あやうさを持った流れ星だった。

八十椿の襟元がついと引っ張られ、畳の上を引《ひ》き摺《ず》られていくつも連なる闇の方へ向かっていく。

「いやだ、たすけて、たすけて。ぼくは嫌だ。助けて、お願いします、後生ですから」

嫌がる八十椿はおかとときにはたいそう面白く見えるらしい。おかとときの笑い声があちこちで響いた。やはり八十椿の口も顎が外れるほど大きく開かれ、いろんな種類の花を挟んだ箸がいくつもいくつも詰め込まれた。

──これでいいかしら、もう十分詰め込んだわよね。お道具いただけないかしら。

「はいただいま」

檜葉がそそくさと駆け寄って、かます針、菱《ひし》針、忍針など様々な針の載った盆を差し出した。

「どうぞお好きなものをお使いください」

様々ある針の中からおかとときが選んだのはくつ針である。ついと浮かび上がって八十椿の腹を突き刺し、そこに大きな穴をあけた。苦痛のあまり八十椿の悲鳴は尾を引いた。

──それじゃあ次ね、さあ鬼さんこちら。

最後に藤潜がおかとときに呼ばれた。

藤潜は太陽の寵愛《ちようあい》のもとで生きてきたかのような美男である。肌は浅黒いがきめ細かく、黒い瞳はさほど大きくはないものの、それを縁取るべく密集した睫毛《まつげ》は迫力があり、鼻筋は綺麗《きれい》に通って、唇は紅をさしたかのように鮮やかである。憂いや儚《はかな》さとは無縁の力強い美しさを持ち、見る者を摑んで放さないような魅力があった。

途端に藤潜の両の目はついと浮かび上がっておかとときに取られた。飴玉《あめだま》のような藤潜の目が二つ宙に浮いている。目玉を取られて藤潜は何も見えない。

——心配しなくても大丈夫よ、ちゃあんと最後に返してあげるから。いつだってそうでしょう。

——ねえ、音楽くださいな。

檜葉は快活に返事をし、怯《おび》えて座る竜胆の羽織をついと肘で突《つつ》いた。

「琴、お弾きになりますね」

「え、ええ」

しかしすっかり怯えた竜胆の指先では、震えに震えてろくな音色にならなかった。音の響きもひどい有様《ありさま》であるし、弾き間違いもしょっちゅうなのである。

——あら何かしら、無様な音色ね。竜胆のお嬢さんは随分とお琴が下手なのね。

——たまにはこんな音楽でもいいじゃありませんか。さあ、お前、ちゃんとお逃げ。そしてお前も、ちゃんとつかまえて御覧なさいよ。

おかとときは八十椿と藤潜の二人を座敷の隅に追いやった。二人の追いかけっこを楽しもうという算段である。これは先代の竜胆の考案した遊びであった。

八十椿の腹からは詰め込まれた花がぱらぱらと引っ切り無しに零《こぼ》れ落《お》ち、それはそれは色あざやかで夢のように美しかった。しかし藤潜の方は目玉を取られているために何も見えないのである。分かるのはむせ返るような白檀の中に漂う花の香だけ。藤潜は花の香を頼りに八十椿をつかまえなければならない。

——さあ十番勝負よ。一曲終わるまでが一勝負、つかまえるか、逃げ切るか。負けた方はその度に指がなくなるわ。指の多く残った方が勝ちよ。

——あたしやっぱりこのお花の遊びが一等好きだわ。だって美しいんですもの。

おかとときの連なる闇が歓喜で揺れている。おかとときの歓喜は大広間全体に広がり、三人の玩具の悲鳴を圧《お》し潰した。

そうしているうちに闇の色をした空の裾が少し明るくなった。朝が来るのである。

「お客様、お愉しみのところたいへん申し訳ございませんが、お時間が来ておりますので、今宵はこれにてお開きに」

檜葉が諂《へつら》ってそう言うと、おかとときは残念そうに言った。

——そうか、朝が来てしまうか。ならば仕方ない、今日はこれで戻ろうか。

——今日もなかなか愉しかったよ。また来る。

「すみませんが御代《おだい》を」

——わかっているとも。

三十人近くいた闇の群れは毛糸がほつれては絡まり合うような動きを繰り返すと次第に消えてしまった。畳の上に残るのは蹲《うずくま》って呻き声をあげる惜董、八十椿、藤潜の三人とあちこちに散らばる札や銭である。

「今日は腕車なしで帰ったか。いちいち送らないでいいから楽でいいや」

「用意しておいた焼け火箸は結局使わなかったなあ。まああれで満足してもらえたなら何よりだ」

　白樺と立山がそう言いながら畳の上を箒《ほうき》で掃いて札と銭をかき集める。三人の商物には見向きもしない。

「お客様はお帰りになりました。竜胆、お勤めお疲れ様でした。もう楽にしてもいいですよ」

　そう言われても竜胆は息をするので精いっぱい、初めて見た恐ろしい光景に声も出ない様子である。それでも理性は働くと見え、三人の商物の方を見て口を開いた。

「あの方たちは無事なの。早く傷の手当てをしなくては」

「その必要はありません。おかとときのつけた傷は宴が終われば全て消えます。そういう約束になっているのです。ただし消えるのは傷だけです。痛みは残るようですよ」

「ああ、なんてこと」

　竜胆は慌てて三人に駆け寄った。三人は呻き、泣き、咳き込んで、傷のあったところに手をやったり、両目を押さえたりして、芋虫のように身体《からだ》をくねらせて畳の上を這いずり回っていた。彼等が対峙《たいじ》するのは苦痛のみ、竜胆の声などは届かない。

「何かこの人たちの痛みを和らげるものはないの。お父様は普段は一体どうしていらっしゃったの」

「別に何も」

檜葉が肩を竦《すく》めて笑った。切り揃えられた髪がさらりと揺れる。

「だって放っておけば治りますから。先代は何もしていらっしゃいませんでしたよ」

白樺と立山が顔を見合わせて笑い始めたが、竜胆は必死に三人に話し掛けた。

「何か欲しいものがあったらおっしゃって。もしここに無いものならば明日買いに行くわ。今日は本当にご苦労様でした。何と声を掛けていいかわからないわ。本当に酷《ひど》い目に遭った」

「竜胆、あまり情けをお掛けにならない方がいいですよ。今日のようなことがこれからずっと続いていくんですから。商物にいちいち情けと金を掛けていたらこの先持ちませんよ」

檜葉がそう言っても竜胆は耳を貸さず、横たわる哀れな三人の男に声を掛け続けていた。

その隣では白樺と立山がかき集めた金を数えている。洋灯の光の下では彼等の黒髪は不思議と金色に輝いていた。

「やあ、今日は随分とたくさん貰えたじゃないか。ひょっとして二代目竜胆就任のご祝儀かしら」

「羽振りのいいのは良いことだ。しかし日本のどこかで同じだけの金が消えたと思うと気の毒だな」

「構うもんか、盗んでくるのはおかとときだ。おれ達じゃない」

「それもそうか」

その後、三人の下男は暫く横になるといって欠伸《あくび》しいしい大広間から出て行った。一方で、竜胆は思い詰めた表情で横たわった三人の男たちの傍に座っていた。


【五五分一二秒】

二

新しい竜胆を迎えた初めての宴が終わった。

檜葉、立山、白樺の下男の三人が仮眠から覚めると既に昼をまわっていた。彼等は布団を雑に畳んで押し入れに叩き込み欠伸しいしい八畳の裏座敷から出て行った。裏座敷は下男たちの寝起きの場になっている。

「やれやれ、宴が終わっても後始末が残っているから鬱陶しいや。おれはこの作業が一番きらいかもしれねえ」

「全くだ。できることなら何もしないで夕方まで眠っていたいよ」

立山と白樺が首を左右に振って豪快に音を鳴らした。普段なら真っ先に台所に向かうところだが今日ばかりは勝手が違った。普段と違う方向に廊下を進んでいく。その中で思い詰めた顔をしているのは檜葉である。

「竜胆はちゃんと眠っただろうか」

檜葉の問いかけに立山と白樺は知らねえと適当に打ち遣ってまたひとつ欠伸をした。

そうして辿り着いたのは竜胆の仕事部屋である。何だかんだ言いつつ私たちは竜胆を心配していた。父親を突然亡くした後に急に呼び付けられ、何も分からぬまま地獄の様相を見せつけられた十七の娘。恐ろしさのあまり部屋で一人咽《むせ》び泣《な》いていてもおかしくはない。

　檜葉が襖越しに声を掛けた。

「竜胆、御加減いかがですか。もう起きていらっしゃいますか」

　しかし襖はしんとして静かである。何の返事もないので下男たちは整った顔を見合わせた。

「返事がないのなら眠っているのかな。初日だし夕方でも夜でも好きに眠らせてやってもいいが」

「眠っているならいいけどなあ。昨晩の衝撃に耐えきれなくて首でも縊《くく》ってたら大事だな」

　立山の言ったのは軽口だった。しかし私たちはそれを受け流すことができなかった。

　昨日のことを思い返してみればあり得ない話ではない。嫌味を言われても言い返すような負けん気の強い娘ではあったが、その鼻っ柱を折ってやろうとばかりに屋敷の人間がこぞって意地の悪い応対をしたのは事実であった。商物である藤潜《ふじくぐり》、八十椿《やそつばき》、惜菫《せきすみれ》、下男の檜葉、立山、白樺、誰も新しい主に優しい言葉は掛けてやらなかった。おかとときからも屋敷の人間からも辛《つら》く当たられては折れてしまうのも無理はない。

　それぞれに思い当たる節があり、下男たちはばつの悪い思いで互いの顔を探るように見遣った。

しかし罪を擦《なす》り付《つ》け合うように視線を投げつけ合っていても埒《らち》が明かない。この中で最も責任感の強い檜葉が動いた。

「竜胆、すみませんが開けますよ」

檜葉がそう言うのと同時に勢いよく襖が開いた。

誰もいなかった。無人の部屋特有の冷たい空気がそこに充満しているだけである。中に入って念入りに調べたがどこにも娘の姿はない。先代の竜胆の道具が無造作に転がっているばかりで布団が敷かれた跡もない。

「嗚呼《ああ》、これは逃げたな」

立山が露出した左目を細めて肩を竦めた。それを追いかけるようにして私たちも深い溜息《ためいき》を吐く。

新しい主に逃げられたのは大変なことではあるが、娘に首を縊られることに比べればなんてことはない。しかし先代の竜胆の仕事が過酷なのは事実ではあるにしても、もう少し娘に気を遣って優しく接してやれば良かった。下男たちは昨日の振る舞いを思い返して反省した。

「お嬢さんは今頃東京行きの列車の中かしら。それとももう東京に着いているかしら」

「そんなことより新しい主が逃げ出して、この先おれ達どうやっていけばいいんだろう」

「わからん。とりあえず今日の仕事はきっちり終わらせよう。考えるのはそれからだ」

がらんどうになった竜胆の仕事部屋を後にして次に向かったのは台所であった。慣れた調子で檜葉が昼餉《ひるげ》の準備を始め、立山が鉄瓶を火にかける。湯が沸いた後、立山はそれを盆の上の三つの椀《わん》に注いだ。注がれる湯の音に立山の鼻歌が混ざり、次第に湯気と薬の匂いが台所に立ち上る。白湯《さゆ》は薬入りらしかった。

「そんじゃあちょっくら行ってくらあ」

立山と白樺の二人はこれから昨晩の宴の舞台であった大広間の後片付けに行くのである。檜葉に見送られて二人は台所を出て行った。

白樺が襖を乱暴に開けるのと同時に私たちは宴会場にどかどかと入り込んだ。

座布団や花弁がそこかしこに散らばって酷い有様である。四七畳もの広い部屋を見渡して立山と白樺は片付けの手順を考えているらしかった。しかし部屋の奥に意外な人物の姿を発見すると驚きのあまり飛び上がった。

金の屏風の傍には三人の美しい商物が寝そべっている。その傍らに腰を下ろしていたのは、マガレイトの可憐な娘だったのである。

「お嬢さん、いらしったんですか！」

白樺が声を掛けると娘は顔を上げた。娘の黒く愛らしい目がらんらんとしている。顔の色は白を越して青く生気がない。この様子では恐らく一睡もしていない。

惜菫の傍に、床の間に置いてあったはずの花器があった。中の花と剣山が抜かれて花弁混じりの吐瀉物《としゃ》が入っている。

八十椿の腹部と藤潜の目元には濡れた手巾《ハンカチ》が当てられていた。畳の上の桶《おけ》を覗《のぞ》けば水が入っている。

娘は逃げ出すどころか夜通し商物の三人を看病していたのである。立山と白樺がよく似た顔を見合わせた。

正直なところ、放っておけば傷が治る相手を寝ずに看病するのは無駄としか言いようがなかった。手当ては先代もやっていなかったと昨晩下男たちも伝えたはずである。

下男の二人は娘に何と声を掛けたら良いものか悩んでいた。それでも夜通し嘔吐《おうと》する惜菫の背中をさすってやった手は彼の慰めになったであろうし、冷たい水を含んだ手巾は藤潜と八十椿の痛みを和らげたはずである。それは彼等にも理解できていた。

悩んだ末、二人は新しい屋敷の主に頭を下げた。

「竜胆、お勤めご苦労様でした」

昨晩とは打って変わった神妙な態度に竜胆は驚いた顔をした。私も驚きながら深く頭を下げた二人を見ていた。

しかし数秒も経《た》つと、二人は何もなかったかのように涼しい顔に戻り、金屏風の傍で眠っている美しい商物の三人を順に蹴り始めたのだった。

「そら、起きろ起きろ。もう昼だぞ。寝たいんだったら自分の寝床に戻って寝ろ。片付けの邪魔だ」

下男に蹴られた三人は芋虫のように身体を丸め、欠伸とも咆哮《ほうこう》ともつかない寝起き特有の妙な音を口から出した。それからめいめい頭を掻《か》き目を擦り、身体を起こして、立山から差し出された盆から白湯の入った椀を冴《さ》えない顔で一つずつ受け取った。

白檀の香りは夜と共に消え失《う》せていた。さっきまでうっすら漂っていた吐瀉物の饐《す》えた臭いは今は湯気と薬の匂いに上書きされていた。

「ああ沁《し》みるね。毎度のことだがこれを飲むとやはり仕事をやり切ったという心持になるよ。おい八十椿、腹から零れないよう気を付けろよ。俺は目から零れないよう気を付けるから」

猫舌なのか品性によるものなのか、藤潜が音を立てて白湯を飲み、胸の辺りをばりばりと掻き毟《むし》った。藤潜の質の悪い冗談にどう返したら良いか分からないらしい八十椿は少し困った顔をしてはにかむように笑っている。惜菫は眼鏡を曇らせて黙って飲んでいる。

泣いて喚いていた三人の姿はそこにはない。昨晩の緊張は薬の匂いと白湯の熱ですっかり解け、今はどこにでもいる寝起きのだらしない男になっていた。

これを見て怪訝《けげん》な顔をしたのは竜胆である。あまりにも呑気《のんき》な雰囲気なので狐《きつね》につままれたような心持になったらしかった。恐る恐る口を開く。

「お身体の方はもうよろしいの」

「よろしくはないがよろしくってよ」

藤潜は随分と軽い調子で言った。まるで何事もなかったかのようにぴんぴんしているので竜胆はまだ戸惑っている。

「あの、父のせいで辛い思いをさせてしまって、本当に御免なさい。父があなた達にこんなことを強いていたなんて少しも知らなかったの。父の仕事を継ぐように言われたけれども、わたしはこんな非人道的なことは即刻やめるべきだと思っています」

「やっぱりお嬢さんは何も知らされていないんだなあ」

藤潜が笑うと、惜菫と八十椿もどっと笑った。秘密を共有した者特有の嫌な笑い方なので、竜胆は怯んで少し身構えた。すると、大広間の片付けに勤《いそ》しんでいた立山が手を止めて叫んだ。

「おい、あまりお嬢さんを困らせるな。新しい主だぞ、弁《わきま》えろ」

藤潜は立山の方を振り向きもせず、分かっていると言わんばかりに手をひらひらさせてそれを遮った。立山は軽く舌打ちをして座布団を集める作業に戻った。

「俺たちだってこんな非人道的な仕事は即刻やめたいところだがね、やめられない理由があるのさ。お嬢さん、俺の左の足の裏、ちょっと見て御覧よ」

藤潜はわざと左の足裏が見えるように胡坐《あぐら》をかいた。竜胆は言われた通りそこを注視する。すると藤潜のちょうど踵の裏側部分に引っかき傷のような赤い傷がいくつもいくつも刻まれており、まるで花の開いたような形になっているのが見えた。

「これはおかとときの所有の証《あかし》だ。俺はね、一度おかとときに向こう側に引かれて行ったんだよ。しかし先代の竜胆に引き取られてこの屋敷に連れて来られたんだ。一生おかとときの相手をしなきゃいけないところを、数日に一遍、夜の間だけ相手にするだけで良くなったんだ。しかしここの屋敷を出て行ったら、俺はたちまち元の持ち主のおかとときに連れ戻されてしまうだろう。そんなのは真っ平ごめんだ。本当の地獄よりも作り物の温い地獄の方がずっとましってものじゃないか」

藤潜はそう言って他の二人に目配せした。惜菫も八十椿も気まずそうに視線を逸《そ》らし、椀に口をつけている。惜菫は白い足を崩して投げ出していたが、なるほどその左足裏の踵部分にはやはり似たような花の徴が刻まれていた。しかし藤潜の模様とは少し違っているようである。

「秘密主義のお父様のお仕事を初めて見て、そりゃあ驚いたろうね。その様子じゃ軽蔑もしただろう。だけど人助けみたいなものだと思って、ここは割り切って務めてくれよ」

人助けと聞いて竜胆の表情が途端に曇った。おかとときの来る夕刻になって仕事が嫌だと言って泣いて喚いていた藤潜の姿は記憶に新しい。

「人助けであろうとも、泣いて嫌がる人に酷いことなんてできないわ……」

「それでも心を鬼にしてやっておくれよ。俺たちがいくら泣いて嫌がったって手を緩めちゃだめだぜ。向こうの機嫌を損ねちまったら俺たち全員殺されるかもしれない。幸い先代の交渉で、宴で生じた傷は必ず治ることになっているから、お嬢さんが心配することは何もないよ」

藤潜はそのままぐいと薬入りの白湯を飲み切ると乱暴に椀を盆に置いて、昨晩の花の膳を片付けている立山に声を掛けた。

「今日買い出し行くかい。行くんだったら煙草頼む」

立山は背を向けたまま返事をした。惜菫と八十椿はまだ白湯を飲み切らない。藤潜は姿勢を正して竜胆の前に座り直した。

深い睫毛で縁取られた藤潜の迫力ある瞳が竜胆を捕まえた。

「お嬢さんは虫捕りをしたことがあるかい」

「得意よ。飛蝗《ばった》や蟬《せみ》や蜻蛉《とんぼ》なんかよく捕まえて遊んだものだわ」

「では、その飛蝗の足を捥《も》いで遊んだことはあるかい。蟬の身体を割って内側が空洞であることに感銘を受けたことや、蜻蛉の両の羽を引っ張って肉が飛び散るのを喜んだことはあったかい」

竜胆は返事をしなかった。青白い顔からさらに色が消え失せた。そんな残酷な遊びは一度たりともやったことがないと言いたげである。

「お嬢さんに足りないのはそういうところさ。そういう経験がないのならこれから積極的に積んでいかなきゃならないよ」

それから藤潜は袖を捲《まく》って浅黒い腕を竜胆の前に差し出した。

「これは練習だ。俺の手を血が出るほど強く抓《つね》ってみな」

竜胆は虚を衝《つ》かれて息を呑んだ。ちらりと藤潜の顔を見たが、さっきまで飄々《ひょうひょう》としていたのが嘘《うそ》のように今は真剣な目をしている。厳しい眼差《まなざ》しだった。

それでも手荒なことはしたくないらしい竜胆は、血管の浮き出た浅黒い腕に手を伸ばすことをしなかった。唇を真一文字にきつく結び、じっとしている。

すると竜胆の後ろで、惜菫がはっきりと言った。

「竜胆、やってください。これはあなたのお勤めに必要なことです」

竜胆が振り向くとやはり惜菫も同様に真剣な目をしている。白く曇った眼鏡の向こうに宝石のような目が鋭く光っていた。

竜胆は強引に背を押された人のように、恐る恐る藤潜の腕に手を伸ばして指先でそっとその皮膚に触れた。

「だめだそんなんじゃ。それは抓るっていうんじゃなく摘まむっていうんだ」

藤潜が厳しく叱咤《しった》した。竜胆はそれに反応するようにぐっと力を込めた。浅黒い皮膚は娘に摘ままれて上部に引っ張られる。藤潜の皮膚はよく伸びた。しかしいくら引っ張っても竜胆が爪を立てないものだから血は出ない。

竜胆があまり上に引っ張るので、まるで藤潜の腕から山が生えてきたような形になっている。私がそう思ったとき、ふと竜胆が言った。

「田子の浦にうち出《い》でて見れば白妙《しろたえ》の富士《ふじ》の高嶺《たかね》に雪は降りつつ」

なるほど藤潜の伸びた皮膚は富士山の姿に見えなくもない。私は思わず感心したが、そう感じたのは私だけで藤潜や惜菫はうんざりしたように顔を顰《しか》めている。

「和歌の引用で胡麻《ごま》化して逃げたか。まったく二代目の竜胆はとんだ意気地なしだよ」

その頃八十椿がやっと白湯を飲み終えた。もうここにいる理由のない商物の三人は連れ立って大広間を出て行く。立山とすれ違いざまに藤潜が言った。

「煙草忘れないでくれよ」

「うるせえ、さっさと行け。日が昇ると途端に調子づきやがって」

立山が威嚇するように箒の柄で柱を叩くと、三人はげらげら笑いながら廊下を歩いて行った。

大広間の掃除を終えてから下男二人と竜胆は膳や食器を持って廊下に出た。惜菫の嘔吐した花器は台所へは持っていけないので一旦置いておくよう白樺が言った。後で井戸で処理しておくと竜胆が言うと、白樺は今日はいいと止めた。一睡もしていないのだから自分たちに任せて休むべきだと白樺は付け加えたが、それは立山も私も同じ考えであった。

長い廊下を私たちは歩いていた。娘は紫の羽織を胸に抱いていた。それは一晩経って皺と折り目でくたびれており、今の娘の疲れた表情とよく似ている。娘が呟《つぶや》くように言った。

「お父様は、あの三人をおかとときから保護するためにわたしをこの屋敷にお呼びになったのかしら」

どうやら娘は父親が人助けのためにこういった非道なことをしていると思いたがっているようだった。肯定する言葉を待つような空白の間ができた。しかし娘の問いに答える者は誰もいなかった。

ややあって白樺が遠慮がちに口を開いた。露出した右目はきょろきょろと動いている。

「お嬢さんはこの屋敷について知らないことがあまりにも多過ぎやしませんか」

「いやだわ、お前までそう言うの。昨日は八十椿にそう言われたし、さっきも藤潜に似たようなことを言われたわ。そうよ、わたしはお父様から何も聞かされていなくってよ」

少しおどけた口調で娘が言った。険悪な空気にならないための気遣いであることはすぐに分かった。白樺が続ける。

「後継ぎなのに何も知らされないなんて、そんなことがあるんでしょうか。例えば文なんかが東京の住まいに届いていませんか」

「文は確かに届いたわよ。でもここに来て仕事を継ぐように書かれた短いものだったわ。詳しいことは何も書かれていなかったわ」

「それは変だな」

白樺が首を傾《かし》げた。長い前髪が流れて見えていた右目も髪に埋もれた。途端に竜胆の眉間に皺が寄る。立山も私も自然と白樺の方を注視した。

「何か知っているの」

「いやね、先代が病で亡くなったのはお嬢さんも御存じでしょうけどね、先代の看病をしていたのは主におれだったんですね。で、先代は人目を盗んでこっそりと長い文をしたためていたんです。おれは見て見ぬふりをしていましたがね。あれはてっきり後継ぎであるお嬢さん宛だと思っていたんですが……」

「でもわたしのところには届かなかったわ」

「じゃあお嬢さん宛じゃなかったのかもしれませんね。あるいはお嬢さんに出したけれども手違いで届かなかった」

「何が書かれていたか覚えていないの」

「盗み見なんてそんな大胆なことはできませんよ。内容まではわかりません」

「隠れて書いていたってんなら、そこに書かれていたのはおかとときに見られると困るようなことかな」

　立山が口を挟んだ。

「そうかもしれん」

　白樺は重々しく言った。竜胆は白い指を口元にやって何か考え込んでいる様子である。

「その文、気になるわね……」

　ふいに立山が腕から零れかけた膳の足を摑んだ。立山が膳の山を抱え直したのと同時に竜胆が言った。

「ねえ、ここの人間が言うように、わたしはあまりにもここでのお父様のことを知らなすぎるわ。だから何でもいいからお父様のことを何か教えてくれないかしら。竜胆を継ぐにしても今のままではあまりに心もとないのよ」

　竜胆の声は切実であった。しかし立山と白樺は似通った顔を見合わせて黙りこくるだけである。彼等はお互いに目線を送り合い腹の内を探り合っているかのようだった。気まずい雰囲気である。

「何でもいいのよ。お前たちがどういう経緯でお父様と出会ったか、いつからこの屋敷にいるか、些細《ささい》なことでもいいから教えてほしいの」

それでも誰も答えない。やはり気まずそうにお互いの顔をちらちらと見ている。

「どうして何も言ってくれないの。無知であることを散々馬鹿にしておいて答えないのは卑怯《ひきょう》だわ！」

とうとう竜胆が叫んだ。悲痛な叫びである。それでやっと下男たちは口を割った。最初に答えたのは立山の方である。

「何も知りません」

突き放すような回答だった。竜胆は絶句した。そこに口を開いたのは白樺の方である。

「別に意地悪でこう言ってるわけじゃないんですよお嬢さん。申し訳ないんですがね、おれと立山と檜葉の三人は記憶がないんです。気付いたら先代の傍にいたといった具合で」

「記憶がない？」

「ええ、だから答えたくても答えられないんです。仕事についてはわかりますよ。でも先代やおれ達がどういう経緯でここに来たのか、そういった昔のことなんてのはわからない」

竜胆は驚きのあまり声が出ないらしかった。白樺は続けた。

「まだ先代がこの仕事を始めて間もない頃です。先代がおかとときの不興を買ってしまったことがあってですね、それで、その代償におれ達の記憶は取られてしまったんです。だからここに来る前の記憶がまるでないんですよ」

そこに立山が割り入るようにして言った。

「お嬢さん、さっき藤潜の腕を血が出るまで抓るよう言われたのに皮膚を引っ張って和歌の引用で胡麻化したでしょう。まだ爪を立てて血を流してやって赤富士に見立てたらましだったかもしれませんが、あんなのは良くないですよ。おかとときは風流なものと残酷なものが好物なんです。覚えておいてください。おかとときの不興を買うことはそれは大変なことなんです。おれ達は記憶を取られただけで済んだけれども、下手をしたら命を取られかねない。藤潜はいい加減な奴ですが、あのときばかりは真剣だったでしょう。それほど大事だったんですよ」

そう言う立山の表情も真剣だった。

「夜通しの看病は立派でしたね。しかしあいつらの中で誰か礼を言った奴がいましたか。いませんでしたよね。それは不要だからです。お嬢さんは確かに知らないことだらけです。しかし竜胆に何が求められているのかは藤潜に教わってもう知っているはずです。大切にしてください」

その場の空気は急に重くなった。私たちはそれから台所につくまで一言も言葉を発さなかった。


台所につくと昼餉を拵えていた檜葉が竜胆の顔を見るなり叫んだ。

「商物の連中について大広間で夜を明かしたんだ。一睡もしていないらしい」

箱膳を流し近くの盥《たらい》に置きつつ白樺が言う。檜葉は少し同情したように竜胆に言った。

「休んでいないのでは身体も辛いでしょう。食事を取ったら竜胆は部屋でお休みください。幸い今晩はおかとときは来ませんから」

「ありがとう。でも食欲がないの。とても胃が受け付けそうになくて」

「粥《かゆ》でもいいから何か召し上がっては」

「じゃあ白湯を一杯いただこうかしら。立山ったらあの三人の分は用意していたのにわたしの分は用意してないんですもの。除け者《もの》にされたみたいで寂しかったわ」

竜胆は軽い調子で言ってからからと笑った。自分を心配するあまり場の空気が重くなるのに耐えられなくなったように見えた。恐らく明るく楽しいことを好む性分なのだ。若い娘の愛くるしい笑顔に私たちの頬は自然と緩んだが、しかし娘の可憐な瞳の下に刻まれた隈《くま》を見ると胸が苦しくなる。立山が肩を竦めて鉄瓶を持ち上げたのと同時に竜胆が仕切り直した。

「それはそうと檜葉。さっきお前はおかとときは今日は来ないと言ったわね。それはどうしてわかるの」

「おかとときがやってくるときは、必ず前日の夕暮れ時までに松の木に何かしらが結びつけられることになっているんです。しかし昨日の松の木は竜胆の木登り以外何もありませんでしたので、今日はお休みなのです」

「そう。そこにもわたしの知らない決まり事がいくつもあるのね……」

竜胆は口惜《くや》しそうに唇を噛《か》み目を伏せた。察した檜葉が取り繕うように言う。

「仕事について分からないことはできる限りこちらから伝えます。そう焦らなくとも大丈夫です。兎《と》も角《かく》今は部屋に戻ってお休みください。夕食になったら呼びに行きますから」

竜胆は紫の羽織を抱いて仕事部屋に戻って行った。

それから間もなく湯は沸いた。しかし檜葉がせめて味噌汁《みそしる》でも飲ませた方がいいのではないかと言って立山を引き止めたので、味噌汁が出来上がるまで待つことになった。

私は白湯が冷めるのではないかと思ったが辛《かろ》うじて湯気は立ち上っている。立山は白湯と味噌汁を盆に載せて台所を出て行った。

廊下に味噌の香が漂っていき、白湯の匂いは味噌の香にすっかりかき消されてしまっていた。盆を持つ立山の隣に白樺が立っている。彼は大広間に汚れた花器を取りに行くついでに竜胆の様子を見たいと言った。

「竜胆、お休みのところすみません。開けますよ」

竜胆の仕事部屋につくなり立山が声を張り上げた。歌うような声だった。彼は返事など待たずにさっさと襖の隙間に足をねじ込んでこじ開けた。

「おい。いくら盆で手が塞がってたって足で開けるやつがあるか。そんなの手が空いてるおれが開けるよ」

白樺が咎めたが立山はどこ吹く風である。

立山と白樺は背丈も体格も同じ、双子のように似ているが性格は大きく異なる。立山は大味で白樺は繊細なのである。

二人は仕事部屋に入ると言葉を失った。部屋は激しく荒らされていたのである。

箪笥や文机《ふづくえ》、部屋にある引き出しという引き出しは片っ端から開かれていた。その中にあったであろう道具は全て掻き出されそのせいで畳が見えないほどになっている。しかもその上にマガレイトの可憐な娘が倒れていたのだから私たちはぎょっとした。

すかさず白樺が竜胆の安否を確認した。耳を澄ますと竜胆の小さな呼吸が聞こえる。

「大丈夫、眠っているだけだ。大きな怪我も見当たらない」

立山は文机に盆を置き大きく息を吐いた。

「まったく、泥棒に入られたのかと思って焦ったよ。木に登るわ部屋は荒らすわ一体どうなってるんだ」

「きっと女学校で教わったんだろう」

木登りでのやり取りをなぞって白樺は言う。二人は暫く苦笑していたが、ややあってから白樺の方が低い声で言った。

「恐らくは先代の文を捜していたんだろうな。おれから聞いて気になって仕方なかったんだろう」

しかしこの様子だと先代の文は見つからなかったようである。気のせいか竜胆の目元が涙で濡れているように見えた。

立山が畳に転がっていた掛布団を拾って竜胆の身体に被《かぶ》せた。退出する際、立山は今度は手で静かに襖を閉めた。

昼餉が済んでから下男の三人は各自仕事に勤しんでいた。立山は買い出しに行き、白樺は衣服と紙幣に火熨斗《ひのし》を当てていた。檜葉は硝子窓の水拭きをしていたが、それが済んだので庭を掃き清めようと外に出た。夕方の頃である。松の木に何かがぶら下がっていることに気付いた檜葉は大声で仲間を呼んだ。

丁度その頃には立山も買い出しから戻ったらしく、三人は松の木の前に集まって相談を始めた。果たしてこの知らせを竜胆に見せるか否か。竜胆は仕事部屋でまだ眠っているはずである。夜通し看病しやっと眠れたのを起こすのは気の毒ではないかと思ったのだ。たとえ今日を逃してもおかとときの知らせは今後何度でも見ることができる。その意見には私も同意だった。

そこで口を開いたのは白樺であった。彼は廊下で聞いた竜胆の悲痛な叫びを思い出していた。

「確かにお嬢さんには休ませてやりたい気持ちもある。しかし今は叩き起こしてでも見せた方がいいだろう。お嬢さんは自分が何も知らないことを気にしている。これを見せなかったらまた深く傷つくだろう」

白樺がそう言ったのに他の二人も同意した。それで檜葉は竜胆を呼びに行き、立山と白樺は宴会場の硝子戸を開いてそこから松の木が見えるよう調整した。

暫くして竜胆が大広間の宴会場に現れた。マガレイトの髪はいくらかほつれ、顔は少し浮腫《むく》んでいた。しかし可憐な瞳は緊張でしっかりと開かれ、とても寝起きの人間だとは思えない。

「竜胆、御覧ください。あれがおかとときからの知らせです」

檜葉が開かれた硝子戸へ竜胆を誘導する。竜胆は硝子戸の傍に立つと身を乗り出して松の木を見た。そこには夕暮れに赤く染まる空を背景にして、羽衣のように風でなびいている帯があった。

「今回松の木に結われたのは帯ですね。結われるものは何でも良くて、飾り紐《ひも》のときもあれば千代紙のときもあります」

檜葉が説明していると庭に出ていた立山が松の木から帯を解いて竜胆の方へ持って来た。檜葉が竜胆に向き直って言う。

「これが明日来るおかとときです。手に取ってじっと見つめて御覧なさい。いろいろと見えてきますから」

「見えてくるってどういうことなの」

竜胆が警戒するように言った。

「いいから手に取って御覧なさい」

しかしおかとときが結んだものということもあり竜胆はそれに触れるのを躊躇《ためら》った。檜葉と立山と白樺が一斉に竜胆の顔を見る。空気がややひりついた。それで竜胆は腹を括《くく》って、威勢よく手を伸ばした。

竜胆の白い手の中で羽衣はじきに馴染《なじ》んだ。すると肌を通して溶けていくようにある幻想が竜胆の内側に広がり始めたのである。夢とも幻ともつかぬ映像が頭の奥で眩《まぶ》しく閃《ひら》き染《め》みわたる。

「見えましたか。これが明日来るお客様です。おかとときの連中は毎回こうやって知らせてくれるんです」

閃光《せんこう》はふいに閉じて竜胆の脳裏から去った。巨大な打ち上げ花火が終わったような余韻と疲労に竜胆の足元は少しふらついた。身体の内に残ったのはおかとときの膨大な情報と感覚である。

「驚いた、こんな風に知らせてくるのね。言葉にはできないけれど理解はできる。これによると明日はそんなに大勢で来るわけではなさそうね。十人と見積もっておけばいいのかしら。それともそれでは足りないかしら」

「おかとときに数なんてのは無意味です。あまり気になさいますな。大規模か小規模かわかればそれでいいのです。腕車は一台か二台か、用意する部屋は大部屋か小部屋か、遊びはどれにするか、そのぐらいでいい」

檜葉が言った。すると立山が険しい顔をして竜胆に向かって言う。

「おれ達がおかとときを拒むことはできません。できることは普段通りおかとときを持て成すことだけです。おかとときの興を殺がぬよう、機嫌を損ねぬよう、全身全霊で挑まないといけない。お嬢さんだっておれ達のように記憶を取られちゃあ敵《かな》わないでしょう。くれぐれもお忘れなきよう」

傍らで檜葉は例の帯に手を伸ばした。慣れた手つきである。明日のおかとときの姿を全身で感じとった檜葉は竜胆に向き直った。

「竜胆、とりあえずは明日のおかとときの余興について話し合いましょう。前回と違い明日は竜胆が主としておかとときを持て成すのです。ご存じのように厄介な相手ですから、気を引き締めてかかってください」

おかとときからの知らせを知った竜胆はすっかり興奮していた。下男の三人は娘に夕餉《ゆうげ》まで仮眠を取らせてやるつもりでいたが、その必要はないと竜胆が断ったので、そのまま道具部屋へ案内することにした。

道具部屋は一六畳のどことなく陰気な薄暗い部屋である。長持《ながもち》と背の低い箪笥が並んでおり、壁には女面、翁《おきな》面、鬼面などの能面がしきつめられるように飾られている。中には見慣れぬ動物の能面まであるので、竜胆は感嘆の声を漏らしてそれらの前に立った。私も壁一面に飾られた様々な能面に感心していた。

「薄暗いので足元にお気を付けください」

檜葉に注意を受け足元を見やると、そこには色とりどりの美しい加賀手毬《てまり》が並んでいた。これらにあしらわれている幾何学模様を薄暗い部屋で見るのは何とも残念である。

竜胆は薄紫色のものをひとつ手に取った。中に鈴が入っているのかころころと愛らしい音がする。

「この部屋にあるものみんな余興に使うための道具なの」

「そうです」

檜葉は小さな手で部屋の奥にある長持を重々しく開いた。

「わたくしがご提案する遊びは貝合わせです」

豪奢《ごうしゃ》な金の貝桶を紐《ひも》解《と》いて出てきたのは四寸にもなる大振りの蛤《はまぐり》の貝殻二十四枚。それらには全て金箔《きんぱく》が貼られており、内には地獄絵図の責め苦が描かれていた。貝を正しく合わせたおかとときが、描かれた責め苦を商物の一人に味わわせることができると檜葉は説明した。

「こちらの遊びでしたら今の竜胆でも十分おかとときを満足させることができます。釘《くぎ》抜《ぬき》や臼杵《うすきね》や鍋いっぱいの煮えたぎる湯なんかはわたくしどもが用意しますし、竜胆は愛想よく座っているだけで良い。琴でも鳴らしていただけたら尚良いのですが、まあ生憎《あいにく》先日の腕前では……」

「……悪いけれども、他のものをお願いしたいわ。あの人たちが地獄の責め苦を味わう姿を落ち着いて見ていられる自信がないの」

檜葉は面喰《めんく》らい、温いことを言う新しい主を叱責するように目をぎらりと見開いた。しかし娘はしおらしく頭を下げ、もう一度檜葉に懇願する。

「頼みます。どうか」

初日のような気の強さで何か言って来るのであれば檜葉の方も容赦しないところであったが、調子が狂った。それにあまりこちらが強く出て今度こそ娘に逃げられてしまっても困る。

　そこで檜葉は長持の中を漁《あさ》り次の遊びを提案した。

「ではこちらの絵双六《すごろく》はいかがでしょうか」

　檜葉は絵巻物を取り出し畳の上に広げた。そこには一人の高貴な女性が落ちぶれて命を落とすまでの物語が美しい筆遣いで描かれていた。どことなく九相図を思わせる絵である。

「これはおかとときを三組に分け、各組に商物を一人ずつ宛がって進める遊びです。賽《さい》を振り、この絵双六に止まったところに描かれた絵と同じ運命を商物に背負わせるのです」

　双六の初めは女性が化粧をしたり美しい着物を身に纏ったりする絵が続いた。果物を食べている絵もある。

「これをあの三人にさせるのです。ふりではありません。化粧道具や着物や果物もすべてこちらが用意して実際にさせるのです」

「男に女の真似をさせるというの」

「良いご趣味でしょう。御父様がご考案になった遊びです」

　難色を示した竜胆に檜葉が軽く釘を刺した。今の竜胆にできる範囲でおかとときを満足させ得るものは少ない。この絵双六は貝合わせ同様、主が何もせずとも成立する類の遊びである。

「ちょっと待って頂戴。この絵双六、あがりの絵は女の骸骨の姿だわ。この場合、あの三人はどうなってしまうの」

「すべて絵の通りになります」

途端に竜胆の身体が恐怖で戦慄《わなな》いた。その唇が開く前に檜葉は鋭く切り込む。

「竜胆、昨日御覧になったとおり、商物の身体は宴が終わればすべて元通りです。ほんの一晩のことなのですよ。それにこれは貝合わせよりもずっと身体の負担も軽いはず。今はわたくしどもは選べる立場にないのです。どうかご理解ください」

竜胆は押し黙った。檜葉の言う通りである。

「わかったわ。己は思案せず、嫌だ何だと既存の遊びに文句をつけてばかりで御免なさい。この遊びで宜《よろ》しくお願いします」

竜胆は素直に詫《わ》び、檜葉に向かって深く頭を下げた。

これで明日の宴の余興は双六に決まった。

明くる日の夕方、白樺が玄関先を掃き清めていると百足《むかで》がいくつもいくつも現れてその身体をうねらせた。

「おや、始まったか」

白樺は竹箒《たけぼうき》を止めて百足の群れを見やる。うねり絡まり合った百足は次第にその身体を失い文字の形を作ったが、瞬《まばた》きを三回するほどの時間が経つと赤い砂になって崩れた。

「いらしった」

白樺は声を張り上げた。

「檜葉、おかとときから便りが届いた。腕車を出して迎えに行って来る」

その声に竜胆の背筋がぴんと伸びた。檜葉と目が合うと意を決したように頷き表座敷を調えに行く。ここは竜胆が初めて屋敷に来たときに通された部屋である。その部屋に竜胆と檜葉の二人が香を焚《た》き座布団を敷いて絵双六と道具を並べていく。前日から檜葉のもとで段取りを何度もさらっていたので不備はない。

それが終わると竜胆は火熨斗を当てたばかりの紫の羽織を身に着け、玄関の上框で座って待った。背筋は真《ま》っ直《す》ぐに伸びている。

「竜胆、くれぐれも頼みますよ」

ふいに立山が現れて竜胆の耳元で囁くように言った。竜胆が驚いて振り向いた頃には、彼は廊下の奥へと消えていた。竜胆と同じく上框に正座をした檜葉が言う。

「立山は雑で乱暴者ですが、あれでいて商物の連中を一番気にかけているのです。今日の宴も竜胆が主を務めるということで心配なんでしょう」

藤潜に拳骨や蹴りを入れる一方で、薬入りの白湯を与えたり買い物に応じたりする立山の姿を竜胆は見ていた。竜胆は静かに深呼吸をし、再度背筋を伸ばし座り直した。

「お着きい」

とうとうおかととき到着を知らせる白樺の声が響いた。

弾かれるように檜葉が飛び出し玄関の戸を開く。たいそうな造りの門をくぐっておかとときが次々とこちらに向かって来るのが見えた。

ゆらめくおかとときの影は見るだけでやはり背筋の凍るものである。しかし紫の羽織を着た竜胆は意にも介さず笑顔で出迎えた。若い娘らしい華やかな笑顔であった。

「どうぞ皆さまよくぞおいでくださいました。わたくしが二代目竜胆でございます。本日はわたくしが皆さまを誠心誠意お持て成しいたします」

おかとときの影はゆらゆらと揺れて一人二人と増えていき、少し感じ悪くひそひそと笑い合った。

──ああ、きみが二代目。例の未熟な新参者だね。聞いているよ。

未熟な新参者という棘のある物言いに、今日の客人はひょっとすると機嫌が悪いのかもしれぬと檜葉は少し怯んだ。しかし竜胆はまるで聞かなかったような顔でおかとときを中に通した。振り返ったときの表情はやはり花のような笑顔である。

「さあお客様、お部屋はこちらでございます。準備はすべて調っておりますので、どうぞ」

腕車を片付けてきた白樺が檜葉に囁いた。

「どうなることかと思ったが、なかなか肝が据わっているじゃないか」

「親父《おやじ》譲りなんだろう。先代も豪胆な人だったから」

「しかしあんまり油断しない方がいいな。過剰に無理をしているだけかもしれないんだから。ああいうのは一旦突かれたら脆い」

白樺の言葉に檜葉が用心深く頷いた。

おかとときの通された客間には惜菫、藤潜、八十椿の三人が既に座らされていた。座布団無しに長襦袢《ながじゆばん》だけを纏っている姿は美男といえどもみすぼらしかった。

「さあ皆様お揃いでしょうか。本日お客様に愉しんでいただくのはこちらでございます」

竜胆の合図で立山と白樺が絵巻物を畳に置いた。美しい女性が落ちぶれていくまでの惨《むご》い絵双六が静かに広がってゆく。

「本日の余興はこの絵双六でございます。皆様には三つの組に分かれていただき、この者どものうち一人を各組にお貸しいたします」

笑顔の美しい竜胆が潑溂《はつらつ》とした声でおかとときに絵双六の説明をしていく。檜葉とさらった通りの台詞《せりふ》だ。おかとときは大人しくそれを聞いていたが、ひと通り説明が終わるとこう言った。

──どうだろう。我々が三組に分かれるのではなく、二組に分かれて、残りひとつを二代目竜胆にやってもらうというのは。

檜葉の顔にたちまち焦りの表情が浮かんだ。こんなやり取りは想定していない。

「つまり、わたくしが皆様と絵双六をご一緒すると」

──そういうことになるね。

しかし竜胆はなんてことはないと言った風で、口元に手をやってその辺の女のよくやるようにほほほと笑った。

「皆様とご一緒できるだなんてたいへん光栄なことでございますわ。けれども、お客様の愉しみをわたくしが奪うわけにはいきません。大変恐れ多いことでございますので今回は」

──できないというのかね。

おかとときの言葉がぴりりと響いた。竜胆がこれ以上拒めば場の空気は急速に冷える。

下男三人、商物三人、いずれも祈る心持で竜胆を見た。しかしやはり竜胆は少しも狼狽《うろた》えず、明け方花が開くように悠然と笑った。

「とんでもない。たいへん光栄なことでございますわ。それではわたくしも、僭越《せんえつ》ながら絵双六に参加させていただきます。どうぞお手柔らかに」

莞爾《かんじ》として笑い、優雅に頭を下げた。男たちは静かに安堵《あんど》の息を吐く。

　おかとときが受けたのは藤潜と惜菫の二人、竜胆が宛がわれたのは八十椿であった。

賽を振り、駒が絵巻物の上を滑っていく。始まったばかりなので、絵の中の美女は美しい衣装を纏ったり、化粧をしたり、花を頭に飾ったりするだけだ。三人の男は絵の美女と同様の女の着物を着せられ、おしろいと紅を塗られて花を頭に飾った。女の道具を使って美しく仕上げようと思えば思うほど、無骨な男の身体ではひどく滑稽に映る。下男たちは率先して声をあげ、手を叩き、腹を抱えて笑った。下男たちの笑い声に誘われておかとときもまた愉快そうに笑い、黒く得体のしれぬ身体をゆすった。竜胆もそれに寄り添うように笑う。今のところ宴はいたく順調、場は盛り上がる一方であった。

　賽は投げられ絵物語は進む。美しく着飾った女性は道中追いはぎに遭い、服を剝がれて縄で縛られ髪の毛を刈られてしまう。服を剝がれたのは藤潜だった。縄で縛られたのは惜菫である。

　竜胆が賽を投げた。止まったのは髪を刈られる絵であった。立山は鋏《はさみ》と剃刀《かみそり》を竜胆の前に置くが、やや焦燥に駆られた顔でちらりと竜胆の顔を盗み見た。竜胆はやはり素知らぬ顔をしていた。立山の心配をよそに、竜胆は絵双六に描かれている女の姿そのままに真似、八十椿の髪を乱雑に切ったり剃《そ》ったりして彼を妖怪の山荒のようにした。

「こんなに着飾っているのに髪だけ刈られているなんて滑稽でございますね」

八十椿の惨い姿をおかとときに見せ、竜胆は心底可笑しそうにほほほと笑う。おかとときも八十椿の素っ頓狂な姿に満足し手を叩いて喜んだ。

余興は和やかに進み、このまま無事に終わるかと思われた。しかし竜胆の駒があるところに止まると流れが変わった。

これは食うに困った女が鮮やかに塗られた己の爪を全て剝ぎ、首飾りにして売るという場面である。着飾った八十椿の爪は既に紅《あか》い染料で染められている。これを全て剝いで糸でつなぎ、首飾りにするのである。

それまで素知らぬ顔をしていた竜胆の表情が急に強張《こわば》った。檜葉が爪を剝ぐための道具を竜胆の右にそっと置いた。竜胆はそれをちらりと盗み見ると目の前に座った山荒の八十椿を見た。途端に金縛りにあったように動かなくなった。

──どうした、やけにもったいつけるじゃないか。

おかとときの一人が野次《じ》を飛ばした。八十椿の爪が剝がされるのを心待ちにしているのか声が少し上擦っている。焦らされるのは好きではないとでも言いたげである。そこで竜胆は慌てて八十椿の紅い爪を手に取った。しかしその手は恐怖で震えるばかりで動かない。

竜胆はゆっくりと顔を上げ、恐る恐る八十椿の顔を見た。

無垢《むく》な瞳をしていた。八十椿は竜胆と同じ年の頃の少年であるが、その瞳が今はやたらとあどけなく映ったのであった。それは真っ直ぐに容赦なく、竜胆を射た。

射られた竜胆は痛みに喘《あえ》ぐように道具を載せた皿に手をやった。やみくもに何かを摑もうとしたが、しかし震えが酷いために上手《うま》く摑めない。竜胆は喘ぎながらしばらく手元をがちゃがちゃと鳴らしていた。しかしついに観念したのかこう吐き出した。

「できません……」

下男たちが鋭く竜胆を睨《にら》んだ。

「絵双六はわたくしの負けでございます。続きは皆様でどうぞお楽しみくださいませ」

竜胆が作り笑いを浮かべそう繕うところにおかとときが鋭く切り込んだ。

——興が殺がれてしまったな。

その言葉を皮切りに場の空気はぴりりと張り詰める。

——そうだなあ、先代といいきみといい、人間風情が少し調子に乗っているのではないかな。ちょっと面白いものが見られるから我々もこれまで色々と許していたが、そろそろ潮時なんじゃないのかね。

「お待ちください、本日のご無礼心よりお詫び申し上げます。どうか、どうかお許しいただきたく……」

檜葉がそう叫んだのと同時だった。

——罰としてこの者の腕はもらっておこう。

八十椿が悲鳴を上げて畳の上をのたうち回った。見れば彼の左の腕は関節とは逆の方に曲がっている。おかとときは朗らかに笑い、帯のようなものをぶら下げてゆらゆら揺らしている。よく見るとそれは八十椿の左腕であった。

——そら、宣言通り貰ったぞ。

——しかし持ち帰るものが腕一本だけじゃあ味気ないじゃないか。

——どれ、今度は誰か一人丸ごと持って帰るとするか。

そう言っておかとときの影が惜菫と藤潜の方を向いた。瞬間、竜胆は身を翻し二人を背に庇《かば》って立つ。先ほどまでの花のような笑みはとうに失せ、血の気が引き青白くなった顔がそこにあるのみである。

「本日のご無礼、心よりお詫び申し上げます。責任はすべてこの竜胆にございます。どうか、これ以上この三人に手出しはしないでくださいませ。後生ですから」

しかしおかとときは竜胆の懇願など意に介さずといった様子。互いに影を揺らめかせひそひそと囁き合ってから、無情にも惜菫と藤潜を転ばせ左の足首を摑んで宙吊《ちゅうづ》りにした。二人の名を呼ぶ立山の声が響いた。

——ああなんだ、御覧よ。この二人の足にはもう徴がついているじゃないか。

——なんだ、既に誰かの所有にあるということか。

──きみの徴じゃないのか？

──あたしのじゃないわ。

惜菫と藤潜が畳の上に投げ捨てられた。二人は畳の上を転がってそのまま蹲って動かない。

──この二人はここにいる誰の物でもないらしい。他人の持ち物じゃあ持ち帰ることはできないな。

おかとときは黒い身体を禍々《まがまが》しく揺らし、今度は竜胆の方に向き直った。おかとときの影は幾重にも重なっては炎のように小さくなったり大きくなったりを繰り返して明滅している。

──では竜胆、代わりにお前を引いて行こう。

おかとときから無数の腕が伸びて竜胆を囲む。竜胆は言葉も出ず青白い顔のまま震えそこに立ち尽くすのみである。商物の三人は畳の上に這いつくばっている。下男たちは諦めたように顔を背け、観念したように強く瞼《まぶた》を閉じた。

長い時間が経ったように感じられた。

実際のところ、何秒、何分と経ったかは誰にも分からない。しかしどれだけ時間が経っても竜胆の身に何かが起こることはなかった。

──なんだ？　どういうことだ。お前は引けぬ。お前も誰かの所有にあるのか？

下男も商物も驚いて顔を上げ、竜胆を注視した。竜胆を囲んだおかとときの影は狼狽《ろうばい》するようにせわしなく揺れている。

おかとときは竜胆の左足首を強引に摑み、引っ張り上げた。足袋を投げ捨て竜胆の足の裏を見るが、そこには若い娘らしい白く柔らかな肌があるばかり、おかとときが期待したような徴は刻まれてはいなかった。

——違うな、徴はない。誰かの所有にあるわけではない。それなのに引けぬ。何故《なぜ》だ。

おかとときが明らかに狼狽している。おかとときが身を寄せ合い囁き合い、ひたすらに明滅を繰り返す。

——まさかお前、主の……。

暫《しば》しの沈黙が訪れた。

このとき六人ほどに見えたおかとときはゆらゆらと伸縮を繰り返し、やがて湯気のように分散した。しかしそうかと思えば次の瞬間には人の形を失って炎の車のような形になった。黒い炎を滾《たぎ》らせ巨大な車輪がその場で激しく回転する。その激しさはまさに憎悪そのものであった。

車が激しく回る度に座敷に憎悪が増幅していく。その場にいる人間の心臓はもれなく早鐘のように鳴っていた。車はこれ以上ないほど激しく回り、やがて頂点を迎えて破裂した。

破裂したおかとときは黒い筋となって畳や床柱にこびりついた。その黒い筋はやがてもぞもぞと動いて黒い糸のようなものとなり、それは芋虫のようになり、少しずつ太くなって再び元の人の形をした靄になった。

——車を出せ、今日はこれで終《しま》いだ！

何かに負けたような苛立ち混じりの叫びであった。白樺がおっかなびっくり、媚びた笑顔を作っておかとときを玄関へ案内する。

座敷では立山が八十椿の腕を確かめていた。宴の際に刈られた髪は元に戻っていたが、左腕は骨がなくなったようにぐにゃりとしていた。

「八十椿、腕は動くか」

「いいえ、少しも」

「痛みはあるか。おれに触られている感覚はあるか」

「いいえ。痛くもないし、触られている感覚もありません」

八十椿の左腕はそこにあった。しかし中身はおかとときが持って帰ってしまったのだ。立山の身体が震え始めた。足袋の脱げた竜胆が八十椿の傍に立ったのに気が付くと、大きな声で叫んだ。

「だからあれほど言ったでしょうが。竜胆、本日の己の振る舞い、犯した罪の重大さ、ようくご自分の胸にお刻みになることです！　八十椿の左腕はおれ達の記憶同様もう戻ってきやしない！」

私は竜胆の方を見た。竜胆は己のしでかしたことの重大さに言葉も出ず、ただただ震えていた。八十椿の腕の下で畳が夜の色から朝日の色に静かに色を変え始めていた。

【六九分〇〇秒】

三

表座敷が夜の色から朝の色へと変わりつつある中、正気に戻った竜胆は頭を畳に擦り付け幾度となく八十椿《やそつばき》に謝罪した。

「本当に申し訳ございませんでした。すべてわたしのせいです、わたしの」

少し離れた場所で藤潜《ふじくぐり》と惜菫《せきすみれ》の呑気な声がした。

「やれやれ、今日は早く終わって何よりだ」

「いつもこのくらいだと助かるんだがなあ。今日は大した怪我もなくて良かった良かった。あのふざけた化粧まで消して元通りにしてくれるんだからありがたいことだ」

絵双六の際に刈られた商物の髪は今は元通りになっていた。それどころか髪に飾られた花も、滑稽な化粧も、女物の着物も消え去って宴が始まる前の襦袢《じゆばん》姿に戻っている。

しかしその中で八十椿の左腕だけは、何度見ても骨の抜けたようにだらりと下がったまま動かないのである。

己の不甲斐《ふがい》なさに腹が立つやら情けないやら、竜胆は再び頭を畳の上に擦り付けた。畳の上に置かれていた手は戦慄き、ついには爪を立て畳の目を毟る勢いであった。

「本当に申し訳ございませんでした。何と言ってお詫びしたら良いものか」

「ぼくはそんなきみの姿は見たくなかったな」

八十椿は素っ気なく言うと身体を起こし、襖の方へ向かった。

藤潜と惜菫はおやといった表情で互いに顔を見合わせた。しかし八十椿が表座敷を抜けると後を追いかけるように出て行った。八十椿は一切振り向かなかった。

竜胆は畳の上に頭を擦りつけたまま顔を上げなかった。ただ畳に食い込む五本の指が震えて止まらなかった。私は静かに息を吐いて瞼を閉じた。


絵双六の宴が済んでからめいめいが部屋に戻り暫く休息を取った。

昼頃になってから下男三人はのそのそと起き出し、昨晩の宴の後始末と今日の昼餉の準備に取り掛かった。立山と白樺は表座敷へ向かい、檜葉は竜胆を起こしてから台所へ向かった。

「八十椿の腕を取り戻す方法はないかしら」

野菜を手早く切りながら竜胆が言った。竈《かまど》で飯を炊いている檜葉が顔も上げずに返した。

「無理ですね。その方法があるとすれば、先代はとっくにわたくしどもの記憶を取り戻していたでしょう。諦めてご自分の今後の振る舞いをお考えください。あの三人のことを思うのならば血を流すことと肉を裂くことに一刻も早く慣れるべきです」

「自分が何を言っているか分かっているの。とても恐ろしいことをいとも簡単に言うなんて」

「分かっているからこそ言っているんです。現に己の過失で八十椿の腕を一本失っているじゃあないですか。この屋敷で綺麗ごとは通用しないのです」

竜胆が鍋に切った野菜を流し込んだ。竜胆と檜葉が動くたびに食べ物の匂いと熱気が濃くなっていく。竜胆が鍋に菜箸を突っ込みながら言った。

「それにしたって何故お前たちはこんな恐ろしい仕事を続けているの。商物の三人がこの屋敷を出ていけない理由はわかったわ。でも、お前たちには理由がないじゃないの。記憶を取られてまで続けるのはどうしてなの」

「おそらく……他に行く場所がないからではないですか」

「ではもしわたしが東京で働き口を紹介すると言ったらどうするの。命を取られるかもしれないこの屋敷よりもずっと気楽な暮らしができるというものよ」

「それは」

檜葉は火吹き竹を吹くのを中断し、炎の前に立《た》ち竦《すく》んだ。彼は少し黙っていたが、やがて静かに言った。

「それでもここを辞めることはできないと思います。こんな恐ろしい場所、本当はすぐにでも逃げたいのですが、どうしてもここにいなければいけないような気がするのです。

それは恐らく立山と白樺も……」

竜胆は手を止めて檜葉の方を見た。檜葉は竈の炎を見つめたまま動かない。

「失《な》くした記憶と関係があるのかしら。ごめんなさい」

檜葉は返事をしなかった。竜胆は味噌を鍋に溶きつつ言った。

「お父様が病床で長い文をしたためていらっしゃったことを白樺から聞いたわ。その文が誰宛だったのか、そして今どこにあるのかは分からないそうよ。わたし、その文が凄《すご》く気になっているの。そこにはお父様がどうしてこんな恐ろしい仕事を始めたのか、どうしてお前たちはこの屋敷から出ていけないのか、そういったことが書かれているような気がするの」

檜葉は無言のまま火吹き竹を吹き始めた。

米が炊けた頃になると、表座敷の片付けを終えた立山と白樺が台所にやってきた。できた昼餉を箱膳に盛り付けて、今度はそれを商物の三人のいる離れに運ぶのである。しかし、その前に檜葉が梅形の菓子鉢を竜胆の前に差し出した。

「これも一緒に離れに運べばいいの？」

檜葉は首を横に振った。

差し出された菓子鉢は蓋つきである。檜葉が蓋を取るように目で促した。竜胆は素直にそれを持ち上げたが、鉢の中に詰まっていたのは緑色の大量の飛蝗だったので竜胆は咄嗟《とっさ》に蓋を戻した。虫が得意ではない私も咄嗟に目を逸らした。

「金沢では飛蝗を菓子として食べているの……」

青ざめる竜胆に檜葉が眉間に皺を寄せて否定した。

「この飛蝗は食用ではありません。そしてこれはあの三人用ではなく竜胆用です。竜胆はおかとときになったつもりで、この中にいる飛蝗の手と足と胴体を一匹ずつ捥いでください。そのときの音、手触り、振動、本体の動き、そこにある全てを面白く感じる練習をするのです。血を流すことと肉を裂くことに抵抗があるのならこういったことから慣れていってください」

飛蝗入りの菓子鉢を両の手で受け取った竜胆はそれをじっと注視した。たかが飛蝗、大した重さなどありはしないのに、その白い手にはまるで大きく冷たい石が載っているかのようである。

「これだけの量の飛蝗を菓子鉢に仕舞ったのは誰なの」

「わたくしです。こういったものを捕まえることは得意なのです」

檜葉の大きな目がぎらぎらと光った。どことなく誇らしげである。竜胆は少し困ったような顔をした。

「捕まえるのが得意なのは結構だけれど……、次からは菓子鉢ではなくて虫籠に入れてね」

出た言葉が称賛ではなく注意だったので、檜葉は小さな顔を赤くして俯《うつむ》いた。

藤潜、惜菫、八十椿の商物三人の部屋は裏座敷の渡り廊下を通った離れにある。日の当たらぬ隅の小部屋に三人は寝起きしており、その布団は大概敷き放しであった。おかととときから受けた苦痛に浸ることが多いので自然とそうなっているのだ。

「なんだてめえら、昨日は大して怪我を負わなかったのに横着しやがって。今日ぐらい布団を仕舞いやがれ」

箱膳を持って入って来た立山が開口一番文句を言った。そして箱膳を畳の隅に置いてから、文句を言いつつ布団を畳んで押し入れに仕舞い始めた。藤潜と惜菫はにやにや笑ってそれを見ている。

立山は口は悪く手も足も出るが、何だかんだと商物の世話を焼いている。そしてどうも商物の方もそれを分かっていて、罵られ殴られてもげらげら笑っている節があった。

部屋にいたのは藤潜と惜菫だけであった。ここに来るまで竜胆の顔色は白く、表情は思い詰めたように強張っていたが、部屋に八十椿がいないと知るや否や、緊張していた頰は自然と緩んだ。

「八十椿はいねえのか」

箱膳を配置しながら立山が尋ねた。それに答えたのは藤潜である。

「あいつはふらふら歩きまわる癖があるからなあ。今も屋敷のどこかをほっつき歩いてるんだろう。その内戻ってくるよ」

立山と白樺は自分の仕事を終えるとさっさと部屋から出て行った。しかし竜胆は出て行かずに畳の上に座った。惜菫が八十椿の座布団に座るよう促したが断り、静かに尋ねる。

「あなた達に聞きたいことがあるの。よろしいかしら」

「腹が減っているんだ。飯が終わってからじゃだめかい」

「急いでいるの。食べながらでも構わないわ」

「お行儀が悪いね」

藤潜はそう言ったがとっくに箸をつけて貪り食っていた。目の覚めるような美しい顔をしている癖に振る舞いはとにかく粗野なのである。

「お父様がご病気でお亡くなり遊ばしたのはご存じよね。実はお父様は病床で長い文をしたためていらっしゃったそうなの。でもこれは行方不明なのよ。ご存じないかしら」

「さあ、俺は知らん」

「僕も知らない」

「では、お父様はどうしてあなた達を引き取ってこんな事をお始めになったかご存じないかしら」

竜胆の問い掛けに答える声はない。ただ漬物を齧《かじ》る音と味噌汁を啜《すす》る音が響くのみである。この二人はそれについても心当たりがないのだった。

「では、お父様と出会ったときのことをわたしに教えてくださらないこと」

惜菫がお前の役目だと言わんばかりに横目でじろりと藤潜の方を見た。藤潜はお喋りの好きな男である。藤潜は心得たとばかりににやりと笑って箸を一旦置き、竜胆に向き直った。

藤潜曰《いわ》く。彼は元は植木屋の見習いであった。印半纏《しるしばんてん》を着て親方兄弟子の後をついて駆けまわっていたのを、御日様の沈む頃、夜の皮を一枚剝がしてやってきたおかととぎが彼を引いて向こう側へ連れ帰ったのである。

おかととぎの住まう場所は上も下もなく、また東西もなく、どこまでも空間が広がっていくばかりで気が狂うほどである。しかし深い闇の中に地獄の炎のような赤が仄《ほの》かに光って不思議に美しくもあった。

藤潜を引いたおかととぎは一人にも見えたが多いときには二十ほどにも増えて見えた。おかととぎを識別することは人間には難しい。意思の疎通はもっと難しい。漂う瘴気《しょうき》のためか玩具には不要だからか、言葉はどんどん自分の内から零れて消えていくようであった。

その日、藤潜は蝶《ちょう》の遊びに付き合わされていた。おかととぎは風流好みのため花や蝶を愛《め》でるが、人間と蝶の違いはよく分からない。おそらく人間のところから盗んできたであろう美しい女物の友禅の着物を藤潜に与え、舞えよ遊べよと囃《はや》し立《た》てた。

しかしいくら美しい羽を与えられても人間は友禅では飛べぬので、あっちへこっちへとふらつきおかとときの間を震えながら渡るしかなかった。藤潜の足取りと蝶の動きが違うことに物足りなさを覚えつつもこれはこれで愉快なのでおかとときは手を叩いて喜んだという。

蝶遊びに飽きたおかとときは友禅を剝がそうとして藤潜の肩ごと外した。藤潜が想像を絶する痛みに声を張り上げると、おかとときは今度は美しい調べでも聞くようにうっとりと聞き入った。悲鳴と音楽の違いもまたおかとときには分からないのである。

そこに突如現れたのは先代の竜胆であった。

紫色の羽織を纏い、竜胆の花の模様の入った提灯《ちょうちん》をぶら下げて、まるで散歩でもするかのように足取り軽く、おかとときの住まうこの場に単身歩いて来たという。

「お父様はおかとときの住まう場所に行き来できたというの」

竜胆は反射的に大声を出した。藤潜はその反応が嬉《うれ》しかったのか、したり顔でしっかりと頷く。

先代の竜胆は痛みにのたうち回る藤潜を指さして、あれを自分に譲ってほしいとおかとときに言ったという。

あなた達は風流を愛でる心はあるがそれを自ら満たすことはできぬのではないか。自分ならあれを使ってもっと面白いものを見せることができる。あなた達が満足できるように持て成すので是非自分に譲ってくれ、と。そのときの先代のなんと口の達者なこと。先代の話しぶりにおかとときも思わず目の前の男に惹《ひ》き込まれた。怪しくないといえば嘘になる。通常こちらに来た人間は瘴気のためにまともに立ってはいられなくなるほどやわだというのに、この男は悠々と歩いて言葉まで紡ぎ、さらに全く物怖《ものお》じせず我々と対面する。とはいえこの男の言うことはそれを差し引いても魅力的である。

確かに風流心を己で満たすことは難しい。これはすべてのおかとときに共通することであった。和歌を嗜《たしな》んでも花を活《い》けても己の振る舞いではどこか虚《むな》しさを覚え、憧れともどかしさが募るばかりだ。

人間が同じ蝶一頭一頭の区別がつかぬように、またおかとときも人間の区別がつかない。藤潜に愛着は元より無い。もはや藤潜を先代に譲らぬ理由はどこにも無かった。

「そういうことがあって俺はこの屋敷にいる。もっとも、以前言ったように先代が譲り受けたといっても俺はまだおかとときの所有にあるんだ」

藤潜の左の足の裏に刻まれた花の徴は記憶に新しい。

「この屋敷は地獄だがそれでもあそこよりは随分温い。俺はいつ例のおかとときが気まぐれを起こして俺を引き取りに来るか恐ろしくてたまらない」

言い終わると藤潜は今度はそっちの番だと言わんばかりに惜菫の方を見た。

「僕はいいよ。そう易々《やすやす》と自分のことは言わない主義なんだ」

そう言って惜菫は味噌汁の椀に口をつけた。惜菫の眼鏡が湯気で曇った。竜胆は暫く待ってみたが、惜菫は宝石のように美しい目を伏せて憂いを纏うばかりで一向に喋りそうにないので、それ以上深追いせずに立ち上がった。

「お食事の邪魔をして御免なさい。それでは失礼」

そう言って竜胆は商物三人の部屋を後にして渡り廊下を歩いて行った。私もその後ろを付いていった。


昼餉の片付けも済んだ頃、竜胆は例の菓子鉢を持って大広間へ行った。

硝子戸を開き、縁側に腰を下ろして菓子鉢の蓋を取る。檜葉の言葉は尤《もっと》もではあるが、やはり命を奪うことは忍びないので、大量の飛蝗をこっそり庭に放すつもりでいた。しかしいくらかの飛蝗は既に鉢の中で息絶えていた。

元気な飛蝗は喜んで外に飛び出していった。なかなか出て行かぬものは竜胆が直接手に持って放してやった。鉢には息絶えた飛蝗だけが残った。

竜胆は鉢に向かって静かに合掌した。そうして暫くはそのまま黙禱《もくとう》していたが、やがて一匹を掌《てのひら》に乗せてその足を一本捥いだ。

命を奪うことは忍びない。しかし八十椿の失われた腕を思うと今の状態ではいられない。次は藤潜や惜菫にまで危険が及ぶかもしれない。自分だけが綺麗なままでいたいと思うのは我儘《わがまま》だった。

飛蝗の細い足がはらりと落ちた。そしてぷつりと切れたときの感触が娘の手の中に残った。その辺りに生えている草の葉を茎から千切るのと大きな差はないように感じられ、それが娘をぞっとさせた。おかときときも人間を傷つけるときは何でもない心持でいるのだろうかと疑った。

飛蝗の残った足をすべて捥ぎ取ってから、次は胴体を半分に折って捻《ひね》り切った。足を捥いだときと胴体を捻ったときの音と感触が全く違う。それに気付き、素直に感心した。次の飛蝗に手を伸ばし、今度は右と左に分かれるように胴体を割った。今までにない音と感触、そして現れた不思議な断面。心が惹きつけられた。これら一匹一匹に生命が宿り、宇宙のようなものが広がっているのに、それが自分の小さな掌の上で簡単に蹂躙《じゆうりん》されている。

しかしそれを何匹も続けたとき、竜胆は自分があちら側に吸われ始めているような気がして、ぞっとして手を止めた。とんでもないことをしている自分に気付いたのだった。

竜胆は震える手で残りの飛蝗の死骸を草の中に落とした。自分の息が上がっていることと、心臓が早鐘の如く鳴っていること、手汗が酷いことに、今頃気が付いた。そしてこれが恐怖でそうなっているのではなく、興奮と熱狂のためにそうなっている事実に衝撃を受けていた。飛蝗を落としている間、自分の身体が黒い影となっておかとときの一部になっていく姿が脳裏に浮かんでは消えた。

「ここにいたのか。捜したよ」

突然背後で声がした。竜胆は飛び上がって驚いた。

振り向くと八十椿が立っていた。左腕は骨が抜けたようにだらりとぶら下がっていて、あまりの痛々しさに竜胆は無意識にそこから目を逸らした。

「わたしに何か御用かしら」

慌てて笑顔を作り八十椿に向ける。心臓はまだ激しく鳴っていた。

「うん、少しね」

八十椿は竜胆の隣に腰を下ろし、右手に持っていた小瓶を差し出した。中には紅白の金平糖が入っているが、蓋はきつく締められていた。

「立山がぼくに買ってきてくれたんだ。でもこの腕じゃ開けることができなくて。きみ、開けてくれないか」

「お安い御用よ」

竜胆は明るく微笑《ほほえ》んで蓋を開けた。しかし瓶を差し出しても八十椿は受け取ろうとしなかった。彼は受け取る代わりにこう言った。

「赤いやつだけ選《よ》ってぼくにくれないか」

竜胆は素直にそれに従い、瓶から赤いのだけを選って八十椿の右の掌に載せた。ひとつ、ふたつ、と積もっていって、ゆっくりと赤い金平糖の小山ができていく。

「どれだけ取ればいいかしら」

竜胆の問いに八十椿は答えなかった。彼は答える代わりに黙って右手を傾けた。すると赤い金平糖の小山はぱらぱらと解け、赤い星になって庭に散り散りになった。

竜胆が啞然《あぜん》としていると、八十椿は平然とこう言った。

「拾ってよ、竜胆」

八十椿の目は真っ直ぐに竜胆を射た。双六のときの無垢な瞳と違い、人を試すような意地の悪い目をしていた。

竜胆の視線は自然と八十椿の左腕に注がれていた。彼女はやや動揺したような表情を浮かべていたが、やがて強い目をしてはっきりと言った。

「お断りよ。あなたが意地悪でわざと落としたものをわたしが拾う理由はないわ。落としたあなたが拾うのが筋ではなくて」

竜胆の厳しい声がぴしゃりと響いた。

「竜胆、ぼくはきみのせいで左腕を失ったんだよ。きみは自分の立場をわかっているの」

「だから意地悪で落とした金平糖を拾えというの。左腕のことは本当に申し訳ないことをしたと思っているわ。だけどその件とこの件は別のものよ。混同してはいけないわ」

「きみは優しくない人だ」

「優しさというのは奴隷のように振る舞うことではないわ」

八十椿が黙った。私はきっと彼が初日のように拗《す》ねて、すぐにでもこの場から駆けて消えるだろうと思っていた。しかし意外にも彼はそうしなかった。ゆっくりと庭に出て膝を折り、右の手でせっせと赤い金平糖を拾い始めたのだった。

私は金平糖を拾う八十椿を黙って見下ろしていた。すると竜胆も膝を折って金平糖を拾い始めた。

「わたし一人が全部拾うのはお断りよ。でも拾っているあなたを手伝うにやぶさかでないわ」

竜胆は集めた赤い金平糖を八十椿へと差し出した。

「腕のこと、本当に御免なさい。あなたがわたしを恨むのも無理はないと思っているわ。あのね、わたし、おかとときの住まう場所に行ってみようと思うの。運が良ければあなたの腕を取り戻す手掛かりも見つかるかもしれない」

竜胆が突然こう言い出したので、私も八十椿も驚いて顔を上げた。

「お父様はどうやらおかとときの住まう場所を行き来していたらしいの。そして昨日の宴でどうやらわたしはおかとときに引かれない性質であるらしいことが分かったわ」

「だからって向こう側に乗り込むっていうのか。危険だよ。上手く行きゃしないよ。だってきみはここに来たときからずっと失敗続きじゃないか。成功するはずがない」

「そうね、仔猫だと思って木に登ったら手拭だったものね。おかとときも怒らせてしまったし、あなたの左腕も奪われてしまったし」

竜胆は悲しそうに目を伏せた。しかしその後は微笑んでいた。

「でも失敗続きでもやってみるわ。だってそれがわたしの性分なのよ」

これを聞くや否や八十椿は赤い金平糖を乱暴に瓶に押し込み、すっくと立ち上がって宴会場から出て行った。しかし彼は怒ったのではなかった。私の見間違いでなければ、彼の口元は心なしか綻んでいたのである。

「おかとときの住まう場所に行くですって?」

竜胆から異界行きを聞かされたとき、檜葉は箒を放り出し血相を変えて詰め寄った。

「何を考えているのですか、いけません。あれは先代が特別だったというだけの話。普通の人間ができることではありません。確かにあなたは先日の宴でおかとときに引かれなかった。しかしそれはただの偶然だったのかもしれないんですよ。あまりにも危険です」

「危険は百も承知よ。藤潜から話を聞いたわ。あそこは瘴気が酷く、立ってもいられない。上も下も東も西もない闇の世界。あちらにいるとだんだんと言葉も忘れてしまうんですって。だけど、藤潜は今は話すことができているじゃないの」

「あまりにも甘く考えすぎです。そう簡単に物事が進むとは思えません」

「そうかもしれないわ、でも分かって頂戴。危険だなんだとはいうけれど、危険なのはお前たちもそうなのよ。お前たちも例の三人も、いつ死ぬかも分からない状態で、肉体も尊厳をも傷つけられて、記憶まで失くしてしまって、ずっとここで働き続けていくつもりなの。わたしは嫌よ。たとえ危険を冒してでも何か手掛かりを掴んでくるべきだと思っているわ」

檜葉はそれでも険しい顔をしていたが、廊下の水拭きをしていた立山と白樺が割り込んで来て言った。

「檜葉、お嬢さんの言うことも一理ある。先代はもうこの世にはいないんだ。先代の目的が分からないままこの仕事を続けて行くのは不安だよ。何も分からないというのならこちらから動くしかないだろう」

「白樺の意見におれも賛成だ。運が良ければおれ達の記憶も戻るかもしれないし、八十椿の腕も取り戻せるかもしれない」

二人に説得された檜葉がどう決断を下すか、私は黙って様子を見ていた。ややあってから、檜葉は観念して瞼を閉じた。竜胆の異界行きは決まったらしかった。

先代の異界行きについて詳しく説明できたのは白樺であった。先代があちら側に行く際はいつも白樺の腕車に乗って行ったとのことである。

おかとときを迎えに行くときは、夜の闇の濃い方角に向かって車を引いて走っていけば、いつの間にか一人二人と夜の闇の皮を剝がしたおかとときが、腕車に重なるように乗り込んでくる。

しかし先代をあちら側に送るときは、決して走ってはいけない。夜の闇の中で腕車をゆっくりと引いて、先代がおかとときの住まう場所とこちらとの綻びを見つけなければいけない。その綻びの隙間に入って行けばあちら側に行けるのだという。

「今回はその綻びとやらをわたしが見つけなくてはいけないのね。でもそんな難しいこと、わたしにできるのかしら」

「わかりません。でも、先代と血を分けた娘です。何かしら閃くものがあるのかもしれない」

夜が十二分に更けた頃、白樺は紫の羽織姿の竜胆を納屋へ連れて行った。静かで冷たい場所である。私たちが洋灯を掲げつつ置かれた二台の腕車を避けて進むと、奥に観音開きの大きな簞笥があった。白樺はその扉を重々しく開く。

中には竜胆の花の紋が入った提灯と何十本にも及ぶ蠟燭《ろうそく》があった。蠟燭には提灯同様に竜胆の花の絵が描かれていたが、提灯とは違い紫が色鮮やかだったため、簞笥の中はまるで花の園、夢見るように美しい。

「先代がおかとときの住まう場所に行くときは、例の羽織を着て、この竜胆の提灯と蠟燭を持って、おれの車に乗って行きました。ひょっとしたらこれらの何かひとつでも欠けると行けないのかもしれない。だからできるだけ先代と同じようにしてやってみますが、上手く行く保証はどこにもありません」

竜胆の花の蠟燭に火をつけると何とも言えない苦いような、饐えたような独特な匂いが漂う。しかしそれ以外は普通の蠟燭であるように思われた。

提灯を持った竜胆を乗せた腕車がゆっくりと動き出す。納屋を抜け、門を出て、静かに静かに車は進む。

竜胆は神経を尖《とが》らせこちら側とあちら側の「綻び」を探した。それは夜の闇の濃淡であったり、音と音の間に差し込まれる僅かな沈黙であったり、夜風の冷たさと晩夏の温い空気の狭間《はざま》であったりはしないか、ときには提灯の炎の揺らめきに現れるのではないか、丹念に調べて夜の闇を彷徨《さまよ》った。

しかし白樺がいくら腕車を引いても竜胆は何の変化も感じることができない。

車は仕舞屋の並ぶ中を、橋の上を、河原を通ってどこまでも進んでいくが、景色が変わっていく度に竜胆に焦燥が募っていく。竜胆の心の内を察した白樺が声を掛けた。

「お嬢さん、何も感じませんか。特に耳をよく澄ませてください。先代は目を閉じてじっと耳を澄まして、ここだと思ったときに声を出すんです。そしたらおれはそれを合図に車を心持ち下に傾けてぐっと夜の闇に押し遣るから」

竜胆は言われた通り耳を澄ませるが聞こえるのは車輪の軋《きし》む音、虫の声、川の音ばかりである。

「神経を尖らせてよく耳を澄ませて、お嬢さん。特に左だ。先代は左耳がよく聞こえると言っていた」

「左ですって！」

竜胆は思わず声を上げた。

「何かの間違いだわ。だってお父様は生まれつき左の耳が聞こえないのよ！」

反射的に白樺が脚を止めた。車は突然止まり竜胆の身体は崩れ、提灯は傾きあわや大惨事になるところであった。

竜胆を乗せた腕車はのろのろと屋敷に戻って行く。

「行った後の方が恐ろしかった。行けなかったのは不幸中の幸いだと思いましょう」

竜胆を出迎えた檜葉は慰めのようなことを言った。

白樺と檜葉は裏座敷に戻った。竜胆も自分の部屋に戻ろうと洋灯片手に一人廊下をのろのろ歩いた。すると丑三《うしみ》つ時《どき》も過ぎた頃だというのに、黒い人影がぽつんと廊下に立ってこちらを凝視している。これには竜胆も私も飛び上がるほど驚いた。

「おかとときの住まう場所には行けたの」

声の主は八十椿であった。正体を知った竜胆はほっと胸を撫《な》で下《お》ろし、息を吐いた。どうやら彼は寝ずに竜胆の帰りを待っていたらしかった。竜胆は微笑みを向けたがしかし残念そうに小さな声で言った。

「あちら側ね、行けなかったわ。あなたの言うとおりよ。わたしはずっと失敗続き」

竜胆の身体は今宵はひときわ小さく見えた。八十椿もかける言葉が見つからないのか、あるいは最初からその算段だったのかこう言った。

「失敗でもお勤めお疲れ様でした。夏の終わりとはいえ夜明けは冷える。白湯でも飲んで一旦落ち着こう」

私たちは八十椿の導くままに大広間の宴会場へと移動した。隅に置かれた長火鉢には既に炭が敷かれており、傍には鉄瓶と湯のみが二つ用意されていた。

「悪いけれども竜胆、片手の自分ではここまでしか用意できなかった。両手でないと火を起こすことはできない」

八十椿がそう言うので竜胆は燐寸《まっち》を擦って炭に火をつけた。暗がりの中で小さな赤い火がぼんやりと光る。炭はじきに燃えたが何やら普段より煙を強く感じ、息苦しい心地がした。竜胆も顔を顰めているが、しかしそれは煙のせいではなく心が弱っているせいかもしれなかった。

耐え切れなくなったのか竜胆は硝子戸を開けて夜の冷えた空気を座敷に招き入れた。夜空を見上げると月が目に入る。ひょっとして綻びはあの辺にあっただろうかと今も尚竜胆は思いを巡らせているかもしれない。

八十椿は慰めの言葉も追い打ちの言葉も竜胆にかけなかった。煙はますます強くなるようである。

強い煙を不思議に思った竜胆は長火鉢の前に立った。燃える炭の奥に何か細かなものが見える。目を凝らしてよく見ると、それは散り散りになった紙片だった。冬の一番寒い時期に降る大粒の雪程度の大きさで、それこそ雪のように大量にあった。紙片は炎の中で踊っては黒くくすんで縮んでいく。煙は夜の闇にのぼっていくが夜の黒には馴染まぬようである。

「八十椿、一体何を燃やしているの」

返事は無かった。

竜胆は火鉢の中で燃え行く紙片を見つめていた。白い紙片は生き物のように身を寄せ合い、炎に触れると身を捩《よじ》らせて黒く変色していく。それを眺めているうちに、竜胆はあることに気付いた。紙片に手書きの文字が見えるのである。

「ぼくは失敗するきみがもっと見たいんだ。失敗した後、きみがどうするのか、ぼくはすごく興味がある」

八十椿がそう言うのを竜胆は正面から見据えた。一旦睨みつけたあと、火を消そうと鉄瓶の中をすべてぶちまけた。しかしその頃には炎はすべてを灰にし紙片は跡形もなく消えてしまった。少し風が吹いて白い灰が舞い上がる。

「道具部屋の奥にある箪笥、あれは下から二番目に仕掛けがあるんだ。そこの引き出しだけ他のより少しだけ短く作られていて、それを引き抜くと奥に隠し箱がある。先代は大事なものはそこに仕舞っていたんだ。箱の鍵は小面の能面を取ったところにある。このことは下男の三人だって知らない。ぼくはすべて見ていたから知っている。先代の文はその箱の中にあったよ」

「わたしのせいで腕を失ったこと、あなたはやはり恨んでいるのね。だからこんな復《ふく》讐《しゅう》めいたことをわたしにしたのね」

「違うよ。恨んでなんかいない。復讐なんて以《もっ》ての外《ほか》だ。さっきも言ったけれど、ぼくは失敗するきみが見たいだけなんだ。本当にそれだけだ」

八十椿の燃やしていたもの、それは先代の竜胆が病床でしたためていた文であった。

竜胆の小さな身体を黒く恐ろしい感情が覆っていく。それがあまりにも重く苦しかったため、ついに竜胆はその場に頽《くずお》れてしまった。八十椿の頼みとはいえ、竜胆は自分の手で燐寸を擦り大事な文に火をつけてしまったのだ。

「竜胆、きみはまたひとつ失敗をしてしまった。ねえ、今なにを思っているの。どんな気持ちなの。どうかそれをぼくに教えてほしい」

竜胆は衝動的に身体を起こし、火箸を摑んで長火鉢に覆《おお》い被さった。何をするのか察した八十椿は右腕で力の限り竜胆の袖を摑んだ。片腕でも男の力は強い。暴れる竜胆を畳の上にあっと言う間にねじ伏せる。

「竜胆、それはだめだ。火傷《やけど》じゃ済まない。ぼくはきみが怪我をするところは見たくない」

娘は声を上げて泣き始めた。

「あの文は確かに娘であるきみ宛だったよ。竜胆の仕事についてと、きみへの情愛の言葉が書かれていた。いい文章だった」

八十椿の穏やかな言葉に娘の口から悲鳴のような声が漏れた。嘆きと苛立ちと後悔とありとあらゆる悲しみの感情が娘から溢れて止まらなかった。一片でいいから父の文が欲しい。たとえ灰でも構わない。両腕いっぱい抱えきれるだけ持って帰ってその中で眠りたかった。しかし八十椿が馬乗りになっているためそれは叶わない。

娘の熱い頰に夜風が冷たくそよぐ。灰と涙がぼろぼろと夜の闇の中に零れて端から消えていくのを私は黙って見ていた。

【四一分二四秒】

四

夜が明けてすぐに、腫れた目をした竜胆が裏座敷に現れたため、下男の三人は何事かと起きた。

最初は寝ぼけ眼でぼんやりとしていた三人だったが、竜胆から昨晩八十椿《やそつばき》に何をされたかを説明されると、たちまち眠気は吹き飛んで興奮状態に陥った。今や怒りのために身体中の血が滾って沸騰しそうな勢いである。今すぐにでも八十椿の休む離れになだれ込まなければ気が済まないといった様子である。

しかし竜胆は興奮する三人を静かに制止した。当然三人はこれに納得できない。

「何故ですか、どうして止めるんですお嬢さん。腕を失わせた負い目があるからですか。だから許せと言いたいのですか」

「お父《と》っさんからの文を燃やされたとあっちゃ、娘としても許すべきではないでしょうよ」

「文には竜胆の仕事について書いてあったと奴は言っていたのでしょう。恐らく先代の目的と今後の指示も記されていた筈《はず》。それを失ったのはあまりに惜しい。殴ってでも文の内容を聞き出すべきです」

彼等は三種三様に竜胆に抗議した。彼等の拳は八十椿を打つ気満々に震えていたが、竜胆はやはり首を横に振りそれを制した。

「わたし自身八十椿を許せないし、お前たちに許せと言っているわけでもないわ。でも、燃えてしまったものはもうどうしようもない。八十椿をいくら折檻《せっかん》してもお父様の文はもう戻ってこない。それにお前たちはおかとときではないから、八十椿に傷をつけたら完治するまでに時間がかかる。傷物になった商物で商売はできないわ。とにかく落ち着いて頂戴」

そう言われ三人は渋々拳の力を抜いた。

その後、竜胆の頼みで下男三人は道具部屋に移動した。八十椿の言うことが正しいのか確認したいとのことであった。

八十椿の話では道具部屋の奥にある箪笥の、下から二番目に仕掛けがあるとのことである。そこの引き出しだけ他のものより短く作られていて、それを引き抜くと奥に隠し箱がある。そして箱の鍵は小面の能面を取ったところにあるという。

檜葉が、下から二番目の引き出しを最後まで引き抜いた。この引き出しは確かに他の段よりも少しだけ短いようであった。箪笥の奥を覗き込んだ檜葉は上擦った声で言った。

「竜胆、確かに奥に隠し箱があります。八十椿の言ったことは本当です」

一方白樺は壁にかかっている大量の能面から小面を選んで取った。すると壁に一本の釘が打ち付けられており、そこに金色の小さな鍵が掛かっていた。こちらも八十椿の言う通りである。下男の三人は初めて知る秘密を前にしてやや動揺していた。

檜葉が隠し箱を、白樺が金の鍵を竜胆に恭しく渡した。竜胆は神妙な面持ちでこれらを受け取った。金の鍵を差し込むと、かちりと小さな音がして秘密の小箱が動いた。竜胆は震える指で蓋を開ける。すると桐《きり》の薫りがふわりと舞い、中の秘密が露わになった。

箱の中にあったのは掛け軸と手鏡であった。本来ならばそこに娘宛ての文も入っていたはずだった。手を入れ探ってみるも鏡と掛け軸以外には何も無いようである。文の断片が一枚でも残っているのではないかと一縷《いちる》の望みにかけていたらしい竜胆は酷く落胆した。

手鏡の裏面には美しい桔梗《ききょう》の模様と「梗子《きょうこ》」の文字が彫られていた。持ち主の名前であると推測するのが妥当であろうが、その名前に竜胆は心当たりがまるでなかった。

隣で立山と白樺が掛け軸を持ち両端から広げた。現れたのは美人画である。椅子に腰掛けた美しい娘がこちらに微笑みかけている。その膝には一匹の黒猫がくつろぎ、頭上には枝に止まった二羽《わ》の金糸雀《かなりあ》が果実を啄《ついば》んだり、羽繕いをしたりしている。

私はこの絵師が例の双六と同じであることにすぐに気付いた。つまりこの掛け軸は先代の竜胆がわざわざ作らせたものである。

凄惨な絵双六とは違いこの美人画は繊細優美、思わず息を呑むような美しさと華やかさである。艶《つや》やかな黒髪の廂髪《ひさしがみ》、伸びた背筋、添えられた白い指のなよやかさ、娘から漂う気品、どれも目を引く素晴らしいものであるが、何よりもこの画から漂う優しさと温かさが見る者の心を引き寄せる。それは色遣いのせいか筆遣いのせいか、美術に詳しくない私には知る由もないが、この画を見ると不思議と柔らかな気持ちになるのは事実であった。

特に美人画に見惚《みと》れていたのは竜胆である。しかしその隣では下男の三人が物凄《ものすご》い形相で絵を睨みつけていた。

相変わらず不自然なほどに整った顔立ちである。しかし大きく見開かれた目は瞬きを忘れ、額には脂汗が浮いていた。浮き上がった汗は苦々しげな表情を通って垂れていく。三人の身体は凍り付いたように動かない。

「お前たち一体どうしたの、様子がおかしいわ」

竜胆が声を掛けても三人は返事をしない。この頃には三人の顔は土気色に変わっていた。

竜胆は慌てて掛け軸を奪い手早く巻いた。このままでは三人が死んでしまうような気がしたからである。

途端に三人の身体は硬直がとけ、安堵の溜息が噴火のように出た。

三人のただならぬ様子に、もしや失われた記憶に係わりがあるのではないかと竜胆は問《と》い質《ただ》した。しかし三人は苦しそうな顔で口を閉ざすばかりであった。

ややあってから白樺が右目を押さえて呻くように言った。

「すみませんが、分からないんです、お嬢さん」

白樺の身体は疲労のために震え息も絶え絶えであった。

「お嬢さんの言うようにあの掛け軸の娘は我々の失われた記憶と深い関係があると思われます。我々はあの娘をよく知っている気がする。しかし、しかしわからない。思い出そうとすると身体が根こそぎ取られてどこかに行ってしまいそうになる。嗚呼もうこれ以上考えたくない。その画をどこか見えないところにやっちまってください。頼みます。後生ですから、早く」

竜胆は懇願された通り掛け軸が彼等の目に触れぬよう桐箱に仕舞った。

三人の下男は安堵の表情を浮かべた。しかし懇願した割に彼等は名残惜しそうに掛け軸の入った桐箱を眺めている。先とは打って変わりその表情の恍惚《こうこつ》としたこと。

私はあの美人画が下男の三人と深い係わりがあることは間違いないであろうと判断した。そしてわざわざ絵師を呼び美人画を作らせた以上、先代の竜胆にとってもあの絵の娘が大切な存在に違いないとも考えた。その名前は恐らく手鏡の持ち主である「梗子」であるだろう。

一方、竜胆は亡き父の秘密の箱を抱えながら思いを馳《は》せていた。たとえば疲れきった日や寝付けない夜、父は人目を忍んでこの娘「梗子」に会いに来たのかもしれない。そのとき父は「竜胆」ではなく「叡一《えいいち》」に戻っているのだろう。梗子の優しく温かな微笑に心満たされた後、叡一はそっと小箱を仕舞い、再び竜胆の名を背負って血も凍るような凄惨な仕事場に足を踏み入れるのだ。

父の夢想から返った竜胆の目尻には涙が浮かんでいた。彼女はその涙を周囲に気取られぬよう、隠し箱を持ってそっと自分の仕事部屋へ戻った。

その後、私は掛け軸と手鏡を持った竜胆と共に商物三人の離れを訪れた。

八十椿は不在であり、藤潜《ふじくぐり》と惜菫《せきすみれ》が恐《おそ》れ慄《おのの》いた面持ちで竜胆を出迎えた。二人の目は竜胆の手元を捉え、その身体は強張って動かない。

状況を察した竜胆が言った。

「仕事の通知をしに来たんじゃないわ。おかとときからの知らせは未《ま》だなし、松の木はそれは静かなものよ。わたしが今持っているのも仕事道具ではないわ。あなた達に聞きたいことがあって来たのよ」

竜胆は藤潜と惜菫に掛け軸と手鏡を見せた。しかし二人は彫られた名前にも画の娘にも心当たりはないようであった。

「この娘、僕は最初竜胆かと思った。これは先代が絵師を呼んで作らせたものだというから、てっきり父親が一人娘の姿を画に残したのかと思ったが」

「実を言うと俺も最初竜胆かと思ったんだ。目元と輪郭が実に似ている。しかしよく見ると、掛け軸のお嬢さんは気品がある。まるで木登りなんかしそうにない。梗子という名の別人だと聞いて合点《がてん》がいったよ。しかし似ているということは竜胆の血縁だと思うがね」

しかし竜胆の方もまるで心当たりはない。藤潜は唸《うな》り声を上げて大袈裟に首を捻った。

惜菫はもう飽きたのかいつもの憂いを纏って窓の外に目線を注いでいた。

竜胆は暫く惜菫の美しい横顔を注視していたが、静かに口を開いた。

「惜菫、あなたにもう一つ聞きたいことがあるの。あなたがここに来た経緯を教えてくださる」

惜菫は目玉だけを動かしてじろりと竜胆を睨んだ。竜胆はそれには怯まなかった。

「以前話したお父様の文、見つかったわ。見つかったけれど、昨晩八十椿に燃やされてしまったの。内容はわからないままよ」

それを聞くと藤潜と惜菫は驚いて互いの顔を見合わせた。

「あいつがやったのか。そうか、ひ弱そうな奴だと思っていたが、なかなか大胆なことをする。左腕を取られた報復だろうか」

おどける藤潜の隣で惜菫が慎重に言った。

「それは……たいへん御気の毒に。なかなか辛い思いをしているでしょう」

「それはもちろん。八十椿いわくあの文には竜胆の仕事についても書いてあったそうよ。なのに燃やされてしまって、この先どうしていいかわからず立ち往生しているところなの。わたしは少しでも多くお父様のお仕事について知る必要があるわ」

「だから僕の話を聞きたいと」

「頼みます」

竜胆が深く頭を下げた。

惜董は深く下げられたマガレイトを眺め、白く美しい顔に苦々しい表情を浮かべていたが、やがて歯切れ悪く言った。

「僕の話が竜胆の役に立つかは分からないが……」

「構いません、お願いします」

竜胆が顔を上げた。明るい表情をしている竜胆とは対照的に惜董の表情は暗い。

「僕は藤潜と違ってあちら側には行かなかった……。僕がおかとときに徴をつけられ、丁度あちら側に引かれそうになっているところに、たまたま先代が通りかかった。あとは大体は藤潜と同じだ。先代は口の達者な人だからね。調子の良いことを言っておかとときから僕を引き取ってこの屋敷に連れ帰ったんだ。これ以上詳しくは言えない。もしもおかとときに聞かれて辿られたらまずいんだ」

この話は藤潜も初めて聞いたと見え、派手な目を丸くして惜菫を見ている。

「お父様と出会ったという場所は一体どこなの。お父様の行動範囲を知りたいわ。聞かせて頂戴」

「止《よ》せ、それ以上は無理だ」

そのとき空が急に陰り、辺りは夜のように暗くなった。空には一面に黒い雨雲、あっと思った瞬間にざあと強い雨が降る。部屋の中が夜のように暗くなったので一同は驚いて一瞬だけ押し黙った。

「金沢は本当に雨が多いな。高知生まれの俺には信じられねえや」

藤潜が静かに零したのを惜菫がぎょっとして見た。

「馬鹿、迂闊《うかつ》に喋っておかとときに辿られたらどうする」

「知るもんか。俺が引かれてから十七年経ってるんだ。今更故郷を辿られたからなんだってんだよ。待ってる人間がいるわけじゃなし」

惜菫は押し黙った。

「お前にはいるのか。待っている人間が」

「さあ、どうだか……」

藤潜は探るような目をして惜菫の顔を盗み見た。闇に沈んでいるためにその表情はよく見えないが、珍しく自分のことを話した惜菫を面白く感じ、もう少しつついてやろうと思ったらしい。意識して意地悪い物言いをする。

「だって惜菫、もう十七年経ってるんだぜ。お前のことなんて忘れてるさ。人間なんて情が移りやすい上に薄情なんだから。もう次の人間に情が湧いてそいつと楽しくやってるさ」

「そんなことはない、そんな薄情な人じゃないんだ」

「はあ、さてはその言い方、女だろう。女なんて心変わりする最たるものじゃないか。お前の女の隣にいた隙間は今じゃすっかり別の男が収まってるさ。甘えた声を出してしなだれかかっているだろうね。収まった先はさあどの男だろうか」

「馬鹿野郎、てつ子さんを侮辱するな！」

惜菫ははっとして口元に手をやったが時既に遅し。

雨雲で生じた影は黒く闇の如き様相、その闇を見つめるほどにゆらゆらと揺れ糸の如く解《ほぐ》れ、次第に無数の指となって惜菫の影に覆い被さる。黒き無数の指は惜菫の影の口を強くこじ開けて無理に入り、喉の奥で音をつまんでは引きつまんでは引きを繰り返して蟻《あり》の如く行列を作り這い出てくる。

「てつ子さん、てつ子さん、てつ子さん」

黒き指の先につままれた音は悲鳴を上げて行列を賑やかに彩り、指は虫が這いまわるのによく似た動きで雨雲の作った影の闇にその名前を連れて帰った。呼吸三度程の僅かな時間であった。

途端に雨はぴたりと止んで、黒い雨雲は静かに風に流れ青い空が戻って来た。戻る日差しに照らされるのは恐怖に打ち震える惜菫の姿であった。夏の終わりだというのに憐《あわ》れ惜菫は凍え死にそうなほどに震えていた。


十日ほど経ってから、松の木におかとときの知らせがあった。

喧《やかま》しく廊下を走る足音と共に檜葉が竜胆の部屋に飛び込んできたので、私たちは急いで大広間へ行って庭を見た。丁度立山と白樺が松の木に向かうところであった。夕方の風のもと紅白の布が松の木の下ではためいている。

「何かしら。遠目には打掛のようにも見えるけれど」

「あれは暖簾《のれん》ですね。竜胆は東京からいらしたから御存じないでしょうが、あれは暖簾の中でも花嫁暖簾といって金沢で使われる嫁入り道具のひとつです。大方見た目が華やかだから気に入って盗んで来たんでしょう」

大きく立派な暖簾なので立山と白樺、二人掛かりで松の木から外す。すると紅白の濃淡の中で家紋が堂々として眼前に広がった。二人の男の手の下で紅白の濃淡が強い風を受けはためく。その様子のなんと華美なこと。しかし二人の表情は重々しく硬かった。

「竜胆、どうぞ手に取ってご確認ください」

宴会場に運び込まれた花嫁暖簾に竜胆は震える指で触れた。

触れた指先から竜胆の内側に広がっていくのは夢とも幻ともつかぬ映像、おかとときから送られた膨大な情報が閃いて眩しく、竜胆の頭の奥が痺《しび》れる。しかしいつもとは違う良からぬ雰囲気に、竜胆はたまらず暖簾から指を放した。

「なんだかとても嫌な予感がするわ」

竜胆がやっと吐き出した言葉はこれであった。

次にやって来るおかとときは小さな客間で事足りるが、少々変わったことに商物と遊びを指定してきたのである。商物は惜菫ただ一人、他の商物は要らぬという。そして遊びは絵葉書の花かるたが良いというのである。

「商物と遊びの指定は前例が無いわけではありません。どうぞ動揺なさらぬよう」

檜葉がそう耳元で告げたが、彼もまた暖簾に触れた後であるので緊張で声が震えていた。

暖簾を通して伝えられたものは、おかとときの要望のほか、背後にうっすらと膜を張った底意地悪い企《たくら》みのようなものであった。その内容ははっきりとせず、受け取る側の嫌悪だけが際立つだけだ。そのため一層気味悪く背筋が凍る心地がするのである。

「おかとときが商物と遊びを指定してきたということは、明日やって来るおかとときは得意客ということになるのかしら。知らなければ指定するということはできないから」

「その可能性もありますが、断言はできません」

「惜菫を指定してきたのは惜菫を知っているからではないの」

「普通に考えればそうなりますが……。別のおかとときから話を聞いて興味を持つこともあると思います。我々はおかとときの個の判別がつきませんから、得意客か一見さんなのか判断はできないのです」

そこで竜胆は先日の昼に起きた惜菫の不思議な出来事を下男三人に打ち明けた。それを聞くなり三人は血相を変えた。

「なんと。では惜菫がおかとときに言葉を辿られたというのですか。あれほど気を付けるようにと日頃から念を押してきたというのに、あの木偶の坊どもときたら！」

「あまり言わないであげて頂戴。わたしが無理に惜菫に頼んだのも悪かったのよ」

竜胆は心苦し気に言った。立山と白樺は眉間に深い皺を刻んでいる。

「ねえ、言葉を辿られた惜菫にこれから何が起きるの。惜菫はいったいどうなってしまうというの」

「分かりません。辿られた名前は惜菫のものではありませんから。それに名前の持ち主はこの屋敷にはいませんし、その女が誰なのかも我々は知りません。おかとときがその名前を辿ってどうするのかなんてのはもっと分かりません」

「明日来るおかとときと関係はあるのかしら」

「それも分かりません」

分からないことばかりである。せめて八十椿が燃やした先代の文が残っていればとこの場にいる誰もが思っていた。

「何はともあれ目の前にあることをやるしかありません。明日のおかとときの持て成しを無事に終わらせることに集中しましょう」

檜葉がそう言うのを私たちは黙って聞いていた。

そのとき三人の下男は突然何かに気付いたようにお互いの顔を見合わせた。それから目配せを何度かすると輪を作り、ひそひそと囁き始めた。何を話しているのかはここまで聞こえない。恐らく竜胆の耳にも入っていないだろう。三人はあるときぴたりと話すのをやめ、静かに頷き合って輪を解いた。何かの約束が三人の中で結ばれたように見えた。

檜葉は竜胆を連れて宴会場から出て行こうとする。

「これから道具部屋に行って遊びの説明をいたします。ようくお聞きになってくださ い」

「立山と白樺は」

「惜菫に白羽の矢が立ったことを伝えに行きます」

振り向くと立山が花嫁暖簾を畳んでいるのが見えた。恐らくあれを持って離れに行くのだろう。口で説明するよりも暖簾を握らせて分からせる方が早い。

「待って。わたしも惜菫のところに行きたいわ」

「いけません。竜胆は遊びの準備をしなければ」

檜葉は後ろ髪引かれる竜胆を強引に連れて道具部屋へ行った。


おかとときが指定した遊び「絵葉書の花かるた」というのは、植物の茎もしくは枝だけを見ておかとときが植物の名前を当てるというものであるらしい。

「しかしおかとときが茎や枝だけを見て植物の名前を当てることはほぼできません。ですから手掛かりとしてこの絵葉書を見せるのです。おかとときは絵葉書と茎を見比べて名前を当てる。かるたという名前ではありますがどちらかというと神経衰弱に近い遊びですね」

そう言って檜葉は道具部屋から大量の絵葉書を出した。数十枚の束が四つある。それぞれの一番上に「春」「夏」「秋」「冬」の紙が挟まれていた。檜葉はその束の中から夏と秋を取って竜胆の前に並べ始めた。

「たったそれだけの遊びなの」

「そうですよ。しかし竜胆はおかとときの興を殺がぬように正解を仄めかす必要があります。また、植物の名前が合っているかどうかの判断も竜胆が行いますから、竜胆自身も茎や枝を見ただけで植物が分かるようしっかり覚えておかなくてはなりません」

華道を嗜んでいる竜胆にとって植物を見分けることは造作もないことである。それはたとえ葉だけだとしても同じことだが、花も葉もない茎だけの状態となると話は別だ。そんな奇妙なことは経験したことがない。

竜胆は少しだけ不安になったらしい。並べられた絵葉書を見て弱弱しく言う。

「百日紅《さるすべり》、木槿《むくげ》、茉莉花《まつりか》、百合《ゆり》、朝顔……、これらを見るに知らない植物はないけれど、茎や枝だけを見て判断するとなると少し心もとないわ」

言葉を濁す竜胆を支えるように檜葉がすかさず答える。

「では、立山と白樺に竜胆用の見本の分も余計に取ってくるよう伝えておきます。植物を集め、花と葉をすべて削《そ》ぎ落しておくのはあの二人の仕事なのです」

「ありがとう、助かるわ」

それから竜胆は並べられた絵葉書を無言で眺めていた。ふと竜胆が白い指を伸ばし一枚取る。裏表と確認するが何の変哲もない絵葉書である。絵師は双六とは違うようである。

沈黙が暫しこの場を支配した。竜胆は何枚か絵葉書を確認していたが、あるとき真っ直ぐに顔を上げて檜葉に言った。

「この遊び、これで終わるわけではないわよね」

その声は刃物のように鋭かった。まるで深く切り込まれたかのように檜葉は青い顔をしている。

「それはどういう意味でしょうか」

「おかとときは風流なものと残酷なものを好む存在だと聞いているわ。おかとときが好むにしては、この遊びは残酷さが足りないと思うの」

檜葉は冷静を装っていたが顔色は優れないままだ。すかさず竜胆が切り込む。

「暖簾を通してお前も見たでしょう。明日来るおかとときは意地の悪い大きな企みを抱いている。そのおかとときが指定した遊びにしてはこれはあまりにも温いわ。植物を茎や枝だけにするような残虐性で満足するようには思えないのよ」

竜胆の美しい目尻が吊り上がっている。そこに生来の気の強さが滲み出ていた。

「わたしに何か隠しごとをしているのね。屋敷の主であるこのわたしに」

立場を明確にされ檜葉が観念したように瞼を閉じた。元来真面目な性質であるから、下男の身で主を騙《だま》すということに耐えられなかったのだろう。

「無礼をお許しください。わたくしども三人で決めたことです」

檜葉が絞り出すように言った。私は先程大広間で見た三人の目配せのやり取りを思い出していた。

「先程竜胆もおっしゃったように、明日来るおかとときは意地の悪い大きな企みを抱いている。少しの失敗が命取りになってしまう可能性があります。だから竜胆には秘密にしておく必要があったのです」

「一体何を秘密にしているというの」

　竜胆が語気を強めた。

「この遊びは、茎や枝を前もって商物の皮膚に刺しておく必要があります」

　檜葉が苦し気に言った。腹の底から押し出されるような声である。両の手は膝の上で固く握られ小刻みに震えている。彼の手のひらが脂汗で濡れているのが私にも伝わってきた。

　檜葉いわく、「絵葉書の花かるた」という遊びは、商物の皮膚に刺さった無数の茎や枝を、おかとときが一本選んで引き抜いてから植物の名前を答えるのだという。正解ならば引き抜いたままだが不正解なら再び皮膚に刺す。だからおかとときが来る前にこちらで商物を針山のようにしておかなければならない。

「しかし八十椿の爪を剝げないような竜胆が、貝合わせの遊びを拒絶する竜胆が、この遊びを許すはずがありません。だから立山と白樺と示し合わせて竜胆に黙っておくことにしたのです。竜胆には内容を伏せたまま準備はすべて我々が終わらせて、そのまま本番に持ち込もうと。竜胆が惜菫に下手に同情して宴を台無しにするといけないから……」

竜胆が忌々し気に奥歯を噛んだ。同時に檜葉が叫ぶ。

「嗚呼、どうか怒らないでくださいな竜胆。これはそういう遊びなのです。どうか明日の宴を台無しにしないでください。明日のおかとときを怒らせる訳にはいかないのです。八十椿だけでなく惜菫にも何かあっては可哀想です！」

その叫びからは檜葉の切実な思いが伝わってくるようであった。そしてそれは竜胆を打ちのめすのに十分であった。

今度は竜胆が拳を強く握る番であった。白く小さな両の手が小紋の総絞りの上で震えている。

「さっきの話し合いはそういうことだったのね。わたしはなんと……なんと情けない……」

竜胆とて明日の宴が重要であることは理解できている。「絵葉書の花かるた」がどんなに残酷な遊びでもおかとときが指定してきたものを拒否するつもりなど毛頭なかったのだ。しかし下男三人はそうは思っていなかった。そのことに竜胆は深く傷ついた。

しかし考えてみれば自分は二代目の竜胆としてこの屋敷にやって来てから碌《ろく》な働きをしていないのである。初日は檜葉が務め、絵双六はおかとときを怒らせた。血が流れることを恐れて藤潜の腕に爪を立てることから逃げ、訓練のために檜葉が集めた飛蝗を逃がし、既存の遊びを残酷だといって否定し、八十椿の腕を失わせた。これらのことが巡り巡って己に返って来ただけではないか。こんな調子でどうして下男三人の信用を得ることができようか。

竜胆を継ぐように言われたというのにこれでは亡き父に合わせる顔がない。屋敷の主の肩書を振り翳《ふかざ》して好き勝手に振る舞うだけの木偶の坊である。振り返れば振り返るほどこれまでの己を許すことができなかった。

竜胆は暫く身体を震わせていたが、急に手をついて檜葉に頭を下げた。

「すみませんでした。竜胆としての自覚が足りませんでした。今から心を入れ替えます」

急に謝られた檜葉は何が起こったか理解できないらしくきょとんとしていた。竜胆は畳に額を擦り付けたまま続ける。

「ここが綺麗ごとが通じる場所ではないことを早く受け入れるべきでした。心を鬼にせねば皆に迷惑を掛けることになると散々忠告されてきたのに逃げ続けたのはわたしです。不信感を抱かせてしまったのは己の責任です。どうか許してください」

主に頭を下げられた下男はどう振る舞って良いものか分からず、口を半開きにしたまま何の言葉も紡げないでいる。暫く言葉を失ったままであったが、漸《よう》く一言だけ絞り出した。

「急にそう言われましても……」

「茎や枝を前もって商物の皮膚に刺しておくのは本来は誰の仕事なのですか」

「竜胆です……。いつも先代が行っていました」

「ではそれをわたしにやらせてください」

竜胆が顔を上げて真っ直ぐに檜葉を見た。強いまなざしである。その一点の曇りもない瞳に檜葉は余計に狼狽えた。

「いいや……失敗続きのあなたにはできますまい……」

「やります」

竜胆が食い下がるので檜葉はどうしていいかわからず、狼狽えた表情のまま硬直した。

竜胆は尚も食い下がった。やがて檜葉は怯えたように、道具部屋から廊下に向かって声を張り上げた。呼んだのは立山と白樺の名であった。

ややあって、道具部屋に立山と白樺がやって来た。その後ろから付いてきたのは例の暖簾を手にした惜菫であった。

檜葉は下男二人に状況を説明した。二人はたちまち険しい顔に変わり竜胆に厳しい言葉を浴びせた。それでも竜胆の決意は変わらない。特に立山が強く出たため話し合いは長引いたが、やがて惜菫が割り込んだ。

「人から見放される恐ろしさは僕にもわかる。お嬢さんに汚名返上の機会を与えてやってもいいだろう。僕はお嬢さん、もとい竜胆にやってもらいたい」

惜菫がそう言ったため、商物を針山にする仕事は竜胆が請け負うことに決まった。

立山の話では、惜菫は例の暖簾を見た瞬間ひどく狼狽えたとのことである。しかし心当たりを尋ねてみても決して口を割らなかった。おかとときに言葉を辿られた経験が彼をそうさせるらしかった。

当日の夕方、立山が緊張した面持ちで孔雀《くじゃく》の描かれた襖を開けた。この客間は奇《く》しくも八十椿が腕を取られたのと同じ部屋であった。

気負いの表れか焚かれた香があまりに濃かったため少しむせる。耳元で響くのは檜葉が洋灯を準備する音である。その音を聞いている内に惜菫の姿が徐々に明らかになった。襦袢姿の惜菫は覚悟を決めた表情をして立っている。いつぞやの藤潜のように泣いて喚いて逃げ出すようなことはなさそうである。

部屋で待機していた竜胆が惜菫を出迎えた。背筋は真っ直ぐに伸びているのに顔は死人のように青白く、そのくせ目はらんらんとしていて妙な気迫があった。竜胆の華奢な身体から白く烈《はげ》しい炎が立ち上っているように見えた。

「惜菫、お勤めご苦労様です。本日は宜しくお願い致します」

竜胆の様子がこれまでと随分違うので惜菫は少し狼狽えたらしかった。私も驚いて竜胆を見た。紫の羽織姿はいつもよりも堂々として立派である。下男三人も思うところがあるのか互いに顔を見合わせている。

花と葉を削ぎ落した植物は既にこの部屋に運ばれていた。見たところ三十近くある。竜胆がそれらに目を遣ると部屋の空気が張り詰めた。

「痛みを長引かせたくないので惜菫に枝や茎を刺すのはおかかとときが来る直前です。手早くやらないと間に合いません。くれぐれも頼みます」

檜葉の言葉に竜胆は静かに頷いた。下男も惜菫同様覚悟を決めた表情である。

窓から夕陽《ゆうひ》が沈むのが見えた。立山が惜菫の眼鏡を取り、彼を畳に座らせた。それが合図だった。

惜菫の目は兵児帯《へこおび》で厚く覆われ、口には腰紐《こしひも》を噛まされて何重にも巻かれた。耳には綿が詰められた。これで惜菫の視覚と聴覚は失われ、喋ることはできなくなった。

「いいかい竜胆、刺していいのは皮膚だけだ。目と口と耳、柔らかく大切なところには刺さないことになっている。おかかとときがそこを刺そうとした場合もやんわり矛先を変えてほしい」

立山は更に付け加えた。

「躊躇いは却って惜菫を苦しめることになる。どうか宜しく頼みます」

植物の茎や枝の先は刃で針のように尖らせてあった。しかしそれでも惜菫の皮膚を通らない場合は針で穴を開ける必要がある。白樺が黙って盆を差し出す。そこにはかます針、菱針、忍針など様々な針が載っている。かつて八十椿の腹を破ったくつ針もある。

立山が惜菫の襦袢を剝いだ。

竜胆は顔色一つ変えなかった。植物を手に取り惜菫の白い肌に活けていく。枝であろうと、茎であろうと、針であろうと、迷いはそこにはなかった。固い茎が柔らかい皮膚を通っていく感覚も、滲み出る血の色も、僅かに漏れる惜菫の苦悶《くもん》の息と呻き声も、竜胆の手を止めさせなかった。彼女にとっては生け花をしているときの静謐《せいひつ》で厳かな感覚と何も変わらないようだった。

私は後ろから竜胆を眺めていた。その背筋は真っ直ぐに伸び、指の動きは堂々として冴えているように感じられた。百日紅、木槿、茉莉花、百合、朝顔、惜菫の首から下の肌に秋の花が彩を添えていき、人の姿をした針山が少しずつ出来上がっていく。

血の池に半身を浸して突き進む竜胆の姿が見えるようだった。そこに悲劇はなかった。あるのは覚悟だけである。

襖に描かれた孔雀の羽が動き出した。

羽の斑点模様はず、ず、とゆっくりと襖の上を這って、やがて客間に飛び上がった。それは巨大な一匹の蛾《が》であった。大きな蛾は暫く客間の上部を旋回していたが、突如洋灯の光に身投げして粉となった。粉は畳の上には落ちずに灰色の煙となってゆたりゆたりと上っていく。

下男の三人はその煙の形を目を凝らして見つめ、やがて渋い顔で言った。

「いらしったか」

竜胆は宣言通り惜菫の皮膚に植物を刺し終えていた。

白樺が腕車を出しに部屋から出て行った。宴は間もなく始まる。


おかとときを出迎えたとき、暖簾から感じとったのと同じ底意地の悪い憎悪が一気に私たちの顔に吹き付けた。今宵の客は一筋縄では行かぬと一同は改めて思い知った。

「皆様ようこそいらっしゃいました。わたくしが本日皆様をお持て成し致します竜胆でございます。さあどうぞおあがりくださいませ」

屋敷に染み始める禍々しい気配に竜胆は肝を冷やしたが、それでも春の花がほころぶのに似た笑顔を作り、今宵のおかとときに頭を下げた。

——あなたが二代目竜胆ね。まあ噂《うわさ》に違わず愛らしいこと。

——きみのことは我々の間では随分と噂になっていてね、まあ知らぬ者はいないといったところかな。

——ただ少し調子に乗っているらしいじゃあないか。そろそろ幕引きじゃないかって我々も話しているところだよ。

おかとときの声は一本氷のような冷たい芯が通っているようであるが、今日はその氷が一段と冷ややかであった。冷えると顔は自然と強張る。竜胆は顔が強張るのを歯を食いしばってじっと耐え、笑顔のままこう言った。

「お客様の評判になって光栄でございますわ。幕引きだなど悲しいことをおっしゃらないでくださいな。わたくしどもはこれからもお客様に楽しんでいただきたいと思っております」

竜胆の言葉に返すおかとときは誰もいなかった。竜胆の食いしばった歯はいつの間にかがたがたと震えていた。

幕引き。この言葉を聞いた一同は身を震わせ、今宵の宴で何かが起きることを確信した。

竜胆は惜董のいる客間におかとときを案内し始めた。

しかし、ふと後方に異様なものがいることに気が付いた。それはおかとときに交ざらず少しばかり間を空けて黙ってついてくる。紋付き袴《はかま》の小柄な男であるが、その顔は藍、臙脂《えんじ》、緑、黄土、紫五色の布に覆われているために見えなかった。

腕車を仕舞って戻って来た白樺も男の存在にすぐに気が付いたらしく、玄関で待機していた立山と囁き合っている。

竜胆がおかとときを客間に通した後、やはり例の小男もついて来たが、おかとときには交ざらずに離れた場所で正座した。竜胆が小男を気にするのがおかとときにも伝わったらしかった。

──気になるかね。あれは我々の連れだよ。

おかとときはどこか得意げに言った。竜胆はにっこり笑って言う。

「お連れの方でしたか。でしたらお持て成ししないといけませんね。あんなに後ろにお座りにならず、前にいらっしゃればいいのに」

──いいえ、あれはまだいいのよ。あたくし達が呼ぶまであしているよう言いつけてあるの。

「そうでしたか。それは失礼いたしました」

竜胆が控え目に微笑んだ。ちらりと横目で確認したが小男は微動だにしなかった。あの小男が何かを起こすのだろうか。それはおかとときがちらつかせた幕引きと関係があるのだろうか。彼の存在は疑心暗鬼に陥った私たちの心をかき乱していく。

今宵のおかとときは少人数、一人から七人の間を行ったり来たり膨張と収縮を繰り返し、時には煙のようにたなびいたと思えば渦を巻いて竜胆らを取り囲む。彼等は機嫌よく高笑いを続けその声は絶えない。

屋敷の人間もつられて笑うがどうにも頰は引きつるばかりである。竜胆も下男も普段のお愛想笑いを装いつつも、目の奥で狂気を含んだ光が破裂し続けるのを隠すことができなかった。私たちはとにかく恐ろしかった。笑い声はやたらと大きく常軌を逸していた。

「さあ皆様、絵葉書の花かるたの始まりでございます」

竜胆が声を張り上げ惜菫をおかとときに見せた。おかとときが一斉に惜菫を囲んでいく。

一人のおかとときが惜菫の皮膚から一本の枝を引いた。

――これは南天かね？　枝が赤く染まっているから。

「いいえお客様、南天は冬の植物でございまして、今宵は用意がございません。枝が赤く染まっているのは大変失礼いたしました。それはうちの玩具が勝手に染めたものでございまして」

――そうかい、じゃあはずれということだね。

おかとときはそう言うと枝を惜菫の肌に突き刺した。腰紐の猿轡《さるぐつわ》から惜菫の悲鳴が漏れた。答えが外れたというのにおかとときは悲鳴を聞いて満足げである。もしも惜菫の目が兵児帯で厚く覆われていなければ、おかとときは喜々として彼の目に植物を差し入れただろう。

他のおかとときが割り込んできた。

――あらだめよ、あなた絵葉書をちゃあんと御覧なさいよ。南天はこの中に無いでしょう。あたくしこの遊び好きだから詳しいのよ。ねえ竜胆、あたくしねえ、木槿の花が欲しいのよ。白くって、内側が紅色で、とっても美しいわ。

「ええ、左様でございますね。木槿は庭木でございます。したがって枝はやや細め、人差し指程度の太さの枝にそれより細かな枝がたくさんついております。そして寂しい秋の色をしております」

——わかったわ、これね。

おかとときが一本惜菫の皮膚から秋色の庭木を抜き取った。途端に裸だった枝から葉と花が生えて見事な木槿の木になった。おかとときが望んだ白の木槿の大きな花がいくつも枝にぶら下がって重そうである。

おかとときが見事正解したので下男たちは歓声を上げて手を叩いた。竜胆も普段より高い声でほほほと笑う。おかとときは満足げに笑っている。

「お見事でございます。お客様のお選びになったそれがまさしく木槿の花でございます」

木槿の枝で穴の開いていた惜菫の皮膚は塞がり元通りになっている。おかとときが当てれば皮膚の傷は癒えることになっているらしい。

——さあ次は自分が当てて見せようか。

次のおかとときが惜菫に手を伸ばした。

竜胆が大袈裟に笑って持て成しているというのに、下男たちもわざとらしく騒いで盛り上げているというのに、おかとときも笑っているというのに。やはりこの場の空気に底意地悪い企みがうっすら膜を張っていて、一刻も油断ならない。竜胆も下男たちも背中にじっとりと汗をかきながら恐ろしい綱渡りをしている心地である。

後方でじっと正座をしている紋付き袴の小柄な男、やはり気になって仕方がない。小男の身体はおかとときのように伸びたり縮んだりを繰り返すことはない。ひょっとしたら人間なのかもしれないと竜胆も下男も疑った。しかしその顔は藍、臙脂、緑、黄土、紫五色の布に覆われているために確認できないのである。

一本、また一本と茎と枝が抜かれ葉と花が咲き、客間は瘴気と咲き乱れる晩夏と秋の花で溢れんばかりであった。

最後の一本である藤袴《ふじばかま》が派手に咲き乱れたとき、おかとときの一人が紋付き袴の男を呼び寄せた。

——さあお前、こっちにおいで。

私たちは思わず息を呑んだ。

紋付き袴の男はゆっくりと立ち上がった。そしてのろのろとこちらに近づいてきた。よく見ると足が震えている。震えのために上手く歩けないのだった。

——今まで放っておいて悪かったよ。お前にも楽しいことをさせてやらないとね。

一人のおかとときが小男の耳元で囁き、惜菫の前に立つよう促した。

小男は、目を覆われ口を塞がれている惜菫の前に立った。

——もっと近くに寄りなさい。

小男が一歩近寄る。

——もっと、もっとだよ。

おかとときが囁き、小男が一歩寄る。もっと。一歩寄る、もっと。

場はしんと静まり返っている。この先何が起こるか分からないので竜胆も下男も身動きを取れないでいる。ただ、うっすらと膜を張っていた底意地悪い企みが形になってこの場に降りてきたことは肌で感じていた。良くない予感を覚えつつ、これから始まることを固唾を呑んで見守るしかなかった。

小男がもうこれ以上惜菫に近寄ることができない距離に来たとき、おかとときが言った。

——さあお前、そいつの轡《くつわ》を外してごらん。

小男が恐る恐る手を伸ばした。男の手は思ったよりも白くなよやかである。

惜菫が噛まされている腰紐は後頭部できつく結ばれていた。そのために男は惜菫の頭を抱える形になる。暫くして腰紐はぱさりと畳の上におちた。薄桃色の腰紐は惜菫の唾液を含んだ部分だけ濃い赤色に染まり、少しだけ糸を引いていた。

口が自由になった惜菫は二、三度大きな咳《せき》をして、喉から奇妙な音を漏らした。それは嵐の晩の風の音にも獣が唸るような声にも似ていた。可哀想に、この頃にはもう喉は渇ききって人間の声が出ないらしかった。この奇妙な音は惜菫が呼吸をする度に漏れた。時計の秒針のような調子であった。

――さあお前、今度は目隠しを外してごらん。

おかとときが男に囁くと、彼の顔を覆う五色の布の奥から乱れた呼吸の音が聞こえた。男の白い手は震えきっていたので、惜菫の目を覆う兵児帯はなかなか外れなかった。

柔らかな兵児帯が漸く惜菫の視界を解放したとき、男はひ、と悲鳴を上げて仰《の》け反《ぞ》った。その声を聞き、竜胆をはじめその場一同はっとした。

「晴巳《はるみ》さん……」

彼はそう言って震える両手を自分の胸元にやった。しかしその声はどう聞いても女のものだった。

おかとときの影が興奮したように膨張と分裂を繰り返し二人を取り囲んだ。

途端に紋付き袴の人物の顔を覆っていた藍、臙脂、緑、黄土、紫五色の布は強い風を浴びたかのように鮮やかに高く舞い上がり、人物の顔を露わにした。その顔の正体は三十半ばほどの女であった。

女の顔を見た惜菫は狼狽し、何かをしきりに声に出したが、嵐か獣のそれにしかならなかった。漸く声になったとき、ひとつの名前が紡がれた。

「てつ子さん……」

花かるたの遊びで憔悴《しょうすい》しきった惜菫は意識が朦朧《もうろう》としていた。

立山が部屋の隅から薬缶《やかん》を奪って惜菫に直《じか》に水を飲ませた。水のもとで咳き込む惜菫の傍に、てつ子はけなげにも腰を下ろす。その肌が、衣服が、惜菫の口からだらしなく垂れる水で汚れようとも構わぬ様子で、涙を浮かべまくし立てた。

「嗚呼、婚儀のさなか、晴巳さんが忽然《こつぜん》と姿を消してからもう十七年、もう諦めていたけれど、こんなところにいらっしゃったのね。お可哀想に、こんな得体のしれないところでこんな責め苦を受け続けていたなんて。わたし、わたし、ずっと晴巳さんを待っていました」

おかとときに引かれ時間の止まった惜菫は二十半ば、しかしてつ子は時を重ね今や惜菫よりも年上になっていた。

それでも惜菫にとってはそんなことは何の問題にもならなかった。十七年ぶりに顔を見たかつての婚約者に胸がいっぱいになっていたのである。

――どうだい、感動的な再会じゃあないか。

おかとときが喜びのあまり分裂を繰り返してしきりに手を叩いた。

――思い出すわ。夜の帳《とばり》の裾の方で何だか賑やかな音がするから、行って見たら結婚式というやつだったのよ。

——そしたら花婿と花嫁とがそれは綺麗な格好をしているじゃあないか。二人連れて帰ろうと思ったんだ。

——だけどもね、途中で通りかかった先代の竜胆に言いくるめられて花婿の方しか連れて帰れなかったのよ。

——あの男は口が上手いからね。確かに暫くは楽しいものが見られたけれど。

——とはいえあの男の企みが知れ渡った今、もう幕引きなのよ。だから自分の玩具を迎えに来たというわけ。その男に刻まれている徴は正真正銘あのときあたくしが刻んだものだわ。

惜菫は反射的に左足の徴に手を触れた。

——迎えが怖いかい。だが安心するがいいよ、お前ひとり連れて帰るんじゃない。花婿が一人ぼっちじゃ寂しいだろう。今回はちゃんと花嫁の方も連れて帰っていくから。

途端に惜菫は取り乱し、おかとときに向かって頭を畳に擦り付けた。

「あ、嗚呼、どうかお許しを。連れて行くというなら自分一人だけで十分です。てつ子さんだけはどうぞ見逃してください。後生ですから」——

「晴巳さん、あなたが行くというのならわたしもお供します。もう十七年も待ったんです。今更あなたを独りにはしないわ」

「てつ子さん、あなたは事の重大さが分かっていないんだ。これから行くのは地獄のような恐ろしい場所だ。そこでは僕がさっきされていたようなことをされてしまうのですよ。嗚呼、言葉を辿られてしまったばかりにこんなことが起きるだなんて」

「いいえ晴巳さん。どんな責め苦を受けようとも、あなたのいない苦痛に比べればずっとましです。地獄であろうと何であろうとわたしはお供いたします」

——いやあ麗しい夫婦愛。じつに泣けるじゃないか。

おかとときは満足げに笑った。黒い影が膨張して高笑いをしながら夫婦二人を囲もうとする。

　そこに割り込んだのは竜胆である。竜胆は惜菫とてつ子を背で守るように立ちはだかった。

「さすがお客様、離れ離れになっていた夫婦を引き合わせるとは、まことに素晴らしい趣向にございます。わたくし感動のあまり震えが止まりません。しかし、惜菫はわたくしの商物、取られてしまっては今後の商売が成り立ちません。どうにかお許しいただけないでしょうか」

　竜胆は莞爾《かんじ》と笑いながら声を張り上げた。しかし歯の根が合わずがちがちと鳴る。

——あら、幕引きの意味、ご存じないのかしら。もうお前たちの商売は終わりなのよ。これまでお前たちをのさばらせてきたこと、みんな後悔しているわ。

「まあそんな寂しいことおっしゃらないでください。先代からのよしみじゃございませんか」

――その先代に我々はしてやられたのだよ。散々上手いことを言っておいて、我らが主の所有にある梗子殿に手を出した。まさかお前が梗子殿と先代の間に生まれた忌み子だったとはね。

竜胆は眉を顰めた。

「は、わたくしが、でございますか……」

竜胆は母親を知らなかった。生まれたときから存在は無く、父に尋ねても母の顔も名前も知らされなかったのだ。それが今、梗子だと明かされている。

「それはどういうことですか、主とは、梗子殿とはどなたなのですか……」

――我々には秩序がある。我らが主は絶対的存在。主のことをおいそれと教えてやるわけにはいかぬのだ。

「お待ちください。その主という方と、わたくしが引かれないということと、なにか関係はあるのですか」

――もう頃合いでしょ。

突き放すような物言いに、その場にいた一同が身を硬直させた。背筋の中に細い氷の柱がぴんと張り詰めるような感覚であった。

「竜胆、僕はてつ子さんとあちら側に行きます」

竜胆の背後で声がした。竜胆ははっとして振り向き、半ば取り乱しながら惜菫の袖を摑んだ。

「惜菫、あなた藤潜の話を聞いていたでしょう。あちら側がどんな恐ろしい場所であるか、あなたはよく知っているじゃないの」

「確かにあそこは恐ろしい場所だ。でも、てつ子さんのいない恐怖に比べれば大したことはない」

惜菫がてつ子の手を取って立ち上がった。傍らに立ったてつ子は真っ直ぐ惜菫を見つめ、惜菫もまたてつ子を見つめる。それは憂いを纏う普段の惜菫からは想像もできぬほど慈愛に満ちた柔らかな表情であった。そこに立っているのは「惜菫」ではなく「晴巳」であった。

――そろそろ夜が明けるわ。お開きとしましょう。さあ、引いていくわ。

おかとときが腕を振り上げた。てつ子の左足が赤く光り、足の裏に惜菫と同じ徴が刻まれていく。

「てつ子さん、これから僕の傍にいてくれるかい」

「ええ晴巳さん。ずっとこの日を夢見てきました」

寄り添った二人はおかとときの黒い影に覆われて次第に姿が見えなくなった。二人を呑み込んだおかととときは暴発するかのような膨張を一度すると、黒い糸がほつれるように徐々に姿を解いていって、しまいにはすっかりその場から消えてしまった。

天井からばらばらと銭と紙幣が降ってくる。竜胆、檜葉、立山、白樺、この四人はそれを拾うこともせず、ただ呆然《ぼうぜん》とそこに立ち尽くすのみであった。

【六五分三三秒】

五

八畳の裏座敷、邪魔だと言わんばかりに足を畳まれた卓袱台《ちゃぶだい》の傍で、下男三人が膝を突き合わせて話し合っているのを、竜胆はやや離れたところで座布団に座って眺めていた。

「惜菫《せきすみれ》の本来の持ち主が迎えに来たというのなら、残りの藤潜《ふじくぐり》と八十椿《やそつばき》もそうなるのだろうか」

「もしもそうだとして、藤潜と八十椿まで居なくなったとしたら、その先おれ達は一体どうなるんだ。商物がなくなったら商売はできない」

「おかとき側が幕引きだと言っていたということは、おれ達は晴れてお役御免になるってことだろうか」

「そんな呑気な結末を迎えりゃいいが、実際のところそうとはとても思えない」

竜胆は会話には加わらなかった。三人の侃侃諤諤《かんかんがくがく》の論とは対照的に、しんみりとした面持ちで自室から持参した掛け軸を静かに開く。

椅子に腰掛けた美しい娘と、その膝に座る一匹の黒猫、娘の頭上で遊ぶ二羽の金糸雀が裏座敷の古ぼけた畳の上に広がった。

艶やかな黒髪の廂髪、伸びた背筋、添えられた白い指のなよやかさ。何度眺めてもこの娘から溢れる優しさと温かさに心安らぐ思いがするが、よもやこの娘が己の母親であるとは竜胆は想像だにしなかった。

おかとときの話では、梗子はおかとときの絶対的存在である「主」の所有にあるという、父はその梗子に手を出したという話である。

父がどういういきさつでそんなことをするに至ったか、そして自分は一体何者であるのか、それを知りたいと思うほどにつけ強くなるのは失われた文の惜しさである。

亡くしたばかりの父と会ったことのない母への思慕が募るあまり、竜胆はふいに面を上げ、下男の三人に向かって言った。

「この掛け軸に描かれた方はわたしのお母様だった。わたしは生まれたときから一度もお母様にお会いしたことはないし、お名前さえ聞かされなかったけれども、ねえ、お前たちはわたしのお母様と何か深い縁があったのよね。お父様とお母様とお前たちと、何かひとつでも思い出せるものはないかしら。あったら是非聞かせて貰えないかしら」

途端に下男三人の会話がぴたりと止んだ。

白熱した議論の後に訪れた突如の静寂に、竜胆ははっとした。三人に掛け軸を初めて見せたときのことを思い出したのである。掛け軸を見た三人は息も絶え絶え、今にも死にそうな様子であった。もうこれ以上見たくないと竜胆に懇願してくる姿は実に痛ましいものであり、竜胆の心を強く動かしたはずであった。

軽率なことを口走ってしまったと思い、竜胆は慌てて撤回する。

「いいえ、聞かなかったことにして頂戴。お前たちの身体に酷だわ」

竜胆は美人画が三人の視界に入らぬよう隠すようにさっと仕舞った。しかし下男の三人は無言で立ち上がり、竜胆の手から掛け軸を取った。

再び娘の姿を見た三人の顔に浮かんだのは、緊張ではなく涙であった。三人は掛け軸を手にしたまま静かに泣き始めた。

「竜胆、どうか八十椿にお尋ねください。あいつは竜胆の文の内容を知っている。この方のことも書いてあったかもしれない。この方は竜胆にとって大切な御母様でいらっしゃいますが、おそらく我々にとっても大切な方なのです。我々がどうしてもここにいなければいけない理由は、きっとこの方にある」

端整な容貌の剝製を被ったような三人だが、目から溢れて止まらない涙は熱く、悲しく、本物としかいいようがなかった。

私は竜胆と裏座敷を後にした。裏座敷は火が消えたように静まり、先程のような白熱した話し合いが再開される様子はなかった。

惜董が婚約者のてつ子と共に本来の持ち主であるおかとときに連れ戻されたことを知

り、激しく動揺したのは藤潜である。

藤潜は己にも本来の持ち主であるおかとときが迎えに来るのではないかと怯え始めた。竜胆が離れを訪れた際も、襖の開く音、畳の擦れる音、ひとつひとつに怯えて会話にならなかった。

「藤潜。落ち着いて頂戴。今日は松の木には何の知らせも無かったわ。少なくとも今日と明日はおかとときはやって来ない。あなたを脅かすものは何もないわ」

しかし竜胆がそう言っても藤潜は納得しない。ひどく錯乱して一言も声を出さないようにしている。

「下手に声を出しておかとときに辿られたらと思うと怖いんだよ。惜董はそうやって迎えに来られてしまったから」

八十椿が二つの箱膳を見やりながら投げるように言った。

箱膳の一つは食器は空になっていたが、一つはまだ味噌汁も煮物も残っておりすっかり冷えていた。藤潜は一切口をつけなかった。いつも三つ運ばれてくる箱膳が二つしかないのを見て、ひどく動揺してしまったのである。

「八十椿、あなたは藤潜と違って堂々としているのね。あなたはおかとときの迎えが怖くないの」

「うん、まあ」

「それはお父様の文を読んでいるからなのかしら。文にどうしたらいいのかが書いてあったから、知っているから、落ち着いていられるのね」

「そういう意地悪を言わないでほしいなあ」

八十椿はのんびりとした声で竜胆の感情的な声を制した。

「確かにぼくは全てを知っているけど、問題を解決できるわけじゃないよ」

「全てを知っているというのなら、お母様の、梗子のことも知っているということね」

「うん、知っている。きみのお父っさんのことも、おっ母《か》さんのことも、全て知っている」

八十椿が挑発するような物言いをするので、竜胆はますます感情的になった。

「だったら早く教えてくださる？　みんな困っているのよ。わたしも、檜葉も、立山も、白樺も。藤潜だってあんなに震えている。惜菫は納得して行ってしまったけれど、藤潜は迎えを怖がっているわ」

竜胆が燃えるような声で言った。その炎をかき消すように八十椿が素っ気なく返す。

「でも教えることはできないよ、竜胆。だって言ったろう。ぼくは、失敗するきみが見たいだけなんだって」

二人は暫く見つめ合った。

「あなたはどうしてわたしをそんなに失敗させたいのかしら。あなたは腕を失わせたわたしを恨んでいないと言ったわ。お父様を憎んでいる様子もない。じゃあ、一体何があなたをそうさせるの」

　竜胆が静かにそう言った。

「あなたは何か大きな秘密を抱えているわね。それも、ひとりきりで。そこにわたしを巻き込もうとしている」

　八十椿が少しだけ怯んだように見えた。

「あなたの抱える秘密の向こう側に本当のあなたが見えるわ。今はまだ靄のようなものだけれど、八十椿、わたしはいつか本当のあなたに会うことができるのかしら。金平糖を拾ったときから、わたしはあなたのその寂しそうな目が気になっているの」

　八十椿の表情が歪《ゆが》んだ。

「寂しそうな目をしていた？　あのときのぼくが？」

　それはいたずらを見透かされた子供が拗ねている姿にも似ていた。八十椿は何か言い返してやろうと思ったらしかったが、返す言葉が見当たらないらしかった。

　ややあって八十椿が苦し気に言った。

「きみは文を台無しにしたぼくが憎いかい」

　竜胆は答えなかった。

「きみもぼくにおかとときみたく酷いことをしたいと思っているかい」

この問いにも答えなかった。

誰も話さなくなったので竜胆は箱膳を片付けることにした。普段は下男の三人、大抵は立山と白樺が決まった時間に離れにやって来て台所まで持っていくのだが、今日は藤潜が食べないので予定が狂ってしまった。藤潜はきっと今夜は食べないだろうと私たちは判断した。

竜胆が箱膳を持って離れを出ていこうとしたとき、八十椿が突然大きな声を出した。

「待って！」

洋灯が急に点滅し始めた。

藤潜が絶叫に近い悲鳴を上げる。

辺りを見渡すと確かに何かが起こっている気配がする。何かがこちらに忍び寄ってくるような微かな音と空気がするのである。竜胆は箱膳を置いて廊下を覗き込んだ。しかし変わった様子は何もない。

「いらしった」

八十椿が言った。

八十椿の視線の先にあるのは藤潜の残した味噌汁である。その中から何かの植物の芽が出て育ち始めた。葉をつけ茎をのばし丸いつぼみをつけたかと思うと開いたのは一輪の桔梗であった。桔梗の花びらがゆらりゆらりと揺れるとそれはたちまち紫の蝶となって羽ばたき、窓に向かって飛んで行ったかと思うと窓硝子から洩《も》れる月明かりの下で溶けて消えた。

藤潜の呻くような泣き声が漏れた。

「おかとときからの知らせだ。ああ、俺のところにもとうとう迎えが来ちまった。惜菫と同じようにきっと言葉を辿られたんだ。迂闊に故郷のことなんて話すんじゃなかった」

「落ち着いて藤潜。さっきも言ったように今日は松の木に知らせはなかったのよ」

「そうですよ。来るのはおかとときじゃありません」

八十椿が素っ気なく言った。しかし藤潜は取り乱して聞き入れない。

「藤潜はだめだ。ぼく達だけで迎えに行こう竜胆。例の三人も連れて。彼等が一番あの人に会いたいだろうから」

かくして檜葉、立山、白樺の下男三人を引き連れて竜胆は八十椿の引率のもと例の松の木の下へと集った。

宴会場を通って縁側に出ると秋になったばかりの空気が冷たかった。暗い夜空に月が出ている。

ふいに夜の帳の裾が揺れて、何らかの茎と葉が伸びてきた。私たちはぎょっとしてそちらの方を注視する。

茎と葉が伸びた先に玉のようなつぼみがついた。花が咲くとそれは桔梗の花である。花は散って枯れると次の茎と葉が伸びて、また桔梗の花が乱れ咲いた。それを幾度となく繰り返すうちに車輪の音がゆっくりと聞こえてきた。

私たちは自然と身構える。

夜の闇から現れたのは花を模した車輪である。地獄の火車のような姿で、炎の代わりに車輪に絡むは大量の桔梗の花である。その火車に腰掛けているのは掛け軸の美人画の少女、梗子であった。

その姿を見てはっと息を呑む竜胆の隣で、駆け出して行ったのは下男の三人であった。檜葉、立山、白樺の三人は夜の闇を風のように駆けて行くと、端整な姿かたちは次第に夜の色に溶けて一匹の黒猫と二羽の金糸雀に姿を変えた。黒猫と金糸雀は尚も駈けて梗子の膝に飛び込んだ。

「ああお前たち、会いたかった。どれほど恋しかったことか。どれ、顔を見せて。わたしの可愛《かわい》いお前たち」

しかし梗子がそう言ったのも束《つか》の間《ま》、黒猫と二羽の金糸雀は既に梗子の膝の上で息絶えていたのである。十七年の時は彼等にはあまりにも長かった。

梗子は暫く彼等を抱きしめていたが、堪《たま》らず涙を零し、徐々に冷えて硬くなっていく彼等の身体を撫で始めた。彼等は最愛の人物の手の中で幸福そうであった。

「お母様」

竜胆が恐る恐る声を掛けた。

「お母様なんでしょうか。そうですよね、わたしのお母様」

「ああ、ひょっとしてお前は」

「叡一の娘です。梗子さん、あなたはわたしのお母様だと聞いています」

「ああやはり。あのときの赤ん坊がこんなに大きくなったというのね。お前、身体はどこも悪いところはないの。耳も足も悪いところはないの。お前は自由に歩けるの」

「悪いところはひとつもありません。歩くことも走ることも木登りもできます」

「ああ良かった。本当に良かった。そうです、お前はわたしと叡一さんの大切な娘ですよ」

竜胆が縁側を降りて梗子の傍まで歩み寄った。瓜二つ《うりふた》の十七の娘が二人月夜の下に立っている。

「叡一さんから話は聞いているわ。気が強くて、お転婆だって。わたしに目元が似ているって。本当にそうだわ。赤ん坊のときのお前を抱いたときの重さ、肌の感触、立ち上る匂い、今でもよく覚えている。まるで昨日のことのよう。ああ、どうかもっと傍に。これが夢だと思いたくないの」

梗子が腰掛けたまま手を伸ばすので、その手が触れるところまで竜胆は寄った。梗子は震える手で何度も娘を撫でた。

竜胆は母の手の温かさを感じつつ、梗子の膝に乗っている黒猫と金糸雀にそっと手を伸ばす。もう温《ぬく》もりは消えつつあり、竜胆は三人のことを想《おも》って涙を零した。

「それで、叡一さんは」

「お父様は今年の夏にお亡くなり遊ばしました」

「今、なんと」

「ご存じなかったのですか、お母様」

「わたしは、先日叡一さんに一度お会いして、竜胆の咲く季節にこの屋敷に来るよう指示を受けただけ。わたしがお会いしてそれから間もなく亡くなったということなの」

「詳しいことはわかりません。お父様から頂いた文は、わたしが目を通す前に処分されてしまったのです。お母様にお尋ねしたいことが山ほどございます。どうかこれまでのことをわたしにお話しください」

梗子は静かに頷いて、ゆっくりと叡一のことを話し始めた。

【二〇分四二秒】

六

梗子は金沢の門閥の生まれであったが、生来足が不自由であった。そして母と乳母は梗子の幼い頃に運悪く流行《はや》り病で亡くなってしまった。

母と乳母の訃報を聞いて血相を変えたのは祖父であった。この厳格な祖父は左の足を引き摺って寄ってくる孫娘を忌み嫌っていた。母と乳母の死を悼む気持ちも相まって、この不吉な孫娘を一族の住む屋敷から離れた場所に移した。そこに通って良いのは数人の女中のみ、共に暮らすのは黒猫一匹と金糸雀二羽、足の不自由な梗子にとってそれは事実上の幽閉であった。

父も兄も梗子の住処《すみか》を訪れることはなかった。梗子が顔を合わせる人間は数人の女中であったが、祖父からきつく言われているのであろう。彼女たちは梗子とは必要最低限のこと以外は口を利くことはなかった。

孤独な梗子の心を慰めるものは記憶の中にある母と乳母の優しい手と声、そして黒猫のネロオ、金糸雀のクレイとワアドであった。この黒猫と金糸雀は、梗子が物心ついた頃には傍にいた。彼等は勝手気ままに梗子の膝や肩に乗り、鳴いたり囀《さえず》ったりで賑やかであったが、誰ひとりとして梗子の足を悪く言うものはいない。それは梗子には何よりも嬉しいことであった。

　黒猫と金糸雀とじゃれ合っている内にも時間は確実に過ぎてゆく。梗子の足もまた悪化の一途をたどり、とうとう右の足までもが思うようにいかなくなった。梗子が十七になった頃のことである。

　女中が帰り、日が沈んで夜の帳が降りた頃、梗子はひっそりと庭に出て歩く練習を始めた。

　その日は雲が多く月の光が弱弱しかった。梗子は杖《つえ》にしがみつき、がむしゃらに右足を突き動かした。後ろでネロオが梗子の名を呼ぶように鳴いているのが聞こえたが、振り向く余裕はなかった。この間まで血の通っていた温かい右足が、だんだんと木の幹のように固くなっていく恐ろしさは梗子にしか分からない。

　結局のところ梗子の足は動かなかった。いくら練習しても無駄だったのだ。

　足の甲に一滴、二滴と雫《しずく》が零れる。足が不自由である己を誰よりも忌み嫌っているのは祖父ではなく梗子自身であった。どれほど憎く思っても、悔しく思っても、梗子の足は動かない。

　そのとき夜風が強く吹いた。

　左の足がまるで水に踏み入れたときのような感覚に陥った。今までにない新しい感覚である。暗い夜の冷気に足を浸したような気持ちだ。

寄せる波と砂浜との間に境界があるように、夜にもまた現世と異界の境界がある。梗子の左足の皮膚が夜風の輪郭を撫でていく。それは寄せる波の白い輪郭をなぞる感覚に似ていた。風をそう錯覚した瞬間、梗子は見たこともない世界に立っていた。

そこは上も下もなく西も東もないような黒い世界であった。

どこまでも広がる漆黒の中にうっすらと紫の入り混じった靄がかかっている。目を凝らせば金剛を砕いたような光の粒が砂嵐のように流れていくのが見える。夢のように美しいがどこか寒々とするものがあり、梗子は直《す》ぐにここが現世ではないことを悟った。

奇妙なことにここでは梗子の両足は自由に動いたのである。右足が元のように動くのはもとより動いたことのない左足までもが動くのが嬉しくなって、梗子は気が付けば紫の漆黒の中を駆けまわっていた。

夢のように美しい世界だが本当に夢の中なのかもしれない。しかし今はそんなことはどうでもいい。これまでの分を取り戻すかのように梗子は夢中で走った。

どれだけ走れば元が取れるだろうかと思ったところに、前方に光が見えた。漂う光とは違い見慣れた人工の光である。それが提灯の光であるとすぐに気付いて、梗子はその持ち主に声を掛けた。恐怖は無かった。自分の足で駆けることのできた喜びが勝っていたのである。

「すみません、お尋ねしてもよろしいでしょうか」

梗子の声に振り向いたのは自分よりも少し上の年の頃の男である。男は梗子の姿を見るなり驚いて、間髪を容《い》れずに言った。

「お嬢さん、どちらからいらしったんですか。初めて見る顔ですね。ここは危ない場所です。すぐにお帰りなさい」

男は紫色の羽織を着ていた。提灯はよく見ると竜胆の花の紋が入っている。

「帰りなさいと言われましても、でもわたし、どうやってここに来たのか分からないんですの。来た道が分からないのですから帰る道も当然分かりませんわ。それに、ここはそんなに危険な場所なのでしょうか。ここに来てから悪かった足が治って自由に歩くことができます。こんなに歩けたのは生まれて初めてなので、心躍るようです」

「気持ちはよくわかりますよ。ここに迷い込む人間は決まってそうでね、きみは大方足が悪いんでしょう。でもここに来ると悪かったはずのところが却って冴《さ》え渡《わた》るんだ。僕の左耳だってここでは右耳以上によく聞こえる。きみの足みたいにね」

男は自分の左耳を人差し指でとんとんと叩いた。

「でもね、ここはまだ境目だからいいけれども、更に奥へ行くと取り返しのつかないことになりますよ。あちら側は地獄のような場所です。もしもあちら側に住む異形に連れて行かれてしまったら、きみは二度と元の家には戻れない。お父っさんおっ母さんの顔も二度と見られないことになりますよ」

「つまりわたしは死んだのでしょうか？」

　梗子が言うと男は急に大きな声でかかかと笑った。

「そういう意味じゃあない。でも僕の説明が悪かったな。あれじゃここが三途《さんず》の川《かわ》だと勘違いするのも無理はない」

　笑い続ける男に梗子はさらに尋ねた。

「奥へ行くと取り返しがつかないということは、もうこれ以上は進まない方がよろしいのでしょうか」

「いやあ、奥というのはそういう意味じゃないんだ。ここは言葉で説明するのは無意味だからなあ。上手くいかなくてもどかしいよ。ここはどこまでも開けていてどこまでも行けるような気がするが、縦横斜めどこへ行っても実は輪になった一方通行の道なんだ。例えばきみがここから右に向かって真っすぐ走って行ったとしますね。するといつかは立ち止まっている僕の背中が見えてくることになる。運動場をまわり続ける感じといえばいいか」

「どういうことでしょうか」

「じゃあちょっときみ、前に五歩進んで後ろを振り返って御覧なさい」

　梗子は言われた通り前に五歩進んでから後ろを振り返った。すると、さっきまでいた男の姿はどこにもなかったのである。梗子はぎくりとした。

「僕の姿が見えなくて驚いたでしょう。そういうことなんです。ここは広いように見えてただ同じ場所をぐるぐるまわっているだけなんだ」

背後から男がぬっと現れた。置いて行かれたわけではないとわかり梗子は安堵した。

「これより奥に行けるのは人間じゃない連中だ。人間なんか普通は行けないけれどもね、何かの拍子に行ってしまうといけないから、だからすぐに戻った方がいいんだ」

「でも一方通行で同じ場所をぐるぐるまわるだけなら戻ることもできないんじゃないでしょうか」

梗子がそう言うと男はふふふと笑った。その笑い方が存外優しかったので梗子は少しどぎまぎした。ネロオ達以外と話すのは久しぶりだからかもしれない。それにしたってこの胸の高鳴りはこれまで感じたことのない類のものだ。

「それに答えるにはもう少し説明が必要だね。まあちょっと御覧なさい。そら、そこの蠟燭、消えているでしょう」

男が指さした先には蠟燭立てがあり、そこに竜胆の花の絵が描かれた蠟燭が突き刺さっていた。男の言うように火は消えている。

「これはさっき僕が火をつけたやつなんですがね、一周して戻ってきた今、火は消えている。火が消えているというのは異形の連中が通って奥へ行った証なんです」

梗子が少し身構えた。

「なあに心配は要りません。連中はもう奥へ行ってしまいましたからね。それよりほら、よく見てください」

男は梗子がよく見えるように提灯を先へやった。その先に落ちているのは緋鹿子《ひがのこ》の座布団であった。

「連中はね、この世で美しいと思ったものは何でも異界に持って帰ってしまうんですよ。だけど、持って帰る途中でここに落っことしていくことがあるんです。物だって急に攫《さら》われてこんなところに落とされたんじゃ気の毒だ。持ち主のところに帰りたいでしょう。だから僕は元の場所に戻してやっているんです」

男は提灯を梗子に渡し、代わりに緋鹿子の座布団を拾って左耳に当てた。

男は左耳を当てたまま瞼を閉じた。静謐な時間であった。男は座布団の持つ空気や温かさやそれの持つ時間の厚みを左耳を通して聞いているらしかった。

暫くしてから男は座布団から耳を離して、今度は金剛の光の粒の舞う紫色の靄に向かって耳を澄ませた。上でもなく下でもなく東でもなく西でもない場所にまんべんなく、緋鹿子の座布団から受け取った音と一致するものを探しているのである。

「ああそこか、見つけたぞ。お前はそこから来たんだな」

そう言うや否や男は緋鹿子の座布団を右斜め後ろの方へ放った。緋色《ひいろ》の四角形の座布団は身ぶるいひとつしたかと思うと赤い金魚に姿を変えた。金魚は身体をくねらせて地面の中へと潜り込んでいった。身体をくねらせるごとに金魚は紫の地の底へと潜り込み、深く、より深く泳いでいった。金魚の姿が見えなくなって、梗子は言った。

「あの座布団の正体は金魚だったのですか」

「いいえ、逆です。僕が座布団を金魚にしてやったのです。持ち主のところに戻ったらまた、座布団に戻るはずですよ」

「あなたは物の形を変えることができるのですか」

「ええ、ちょっとした特技です」

「はあ」

梗子はまるで手品でも見ているかのような心地でいた。

「あなたはいつもこんなことをしていらっしゃるんですか」

「そうですよ。攫われた物が落ちていれば元の場所に帰してやるし、迷い込んでいる人がいれば帰してやるし」

「お優しいんですのね」

梗子は言った。自然に発せられた言葉だが思いのほか自分の声が柔らかだったので妙な恥ずかしさを覚えた。熱くなる頬に手をやっていると男が言う。

「別に優しくはないですよ。中途半端です」

梗子がおやと思っているとふいに提灯の光が明滅を繰り返した。火が大きくなったり小さくなったり、かと思えば急に消えたりついたりするのである。

「あっ、まずい」

風もないのに妙な話である。梗子が首を傾げている隣で男は慌て始めた。焦っているのかやや早口で、さっきまでの悠然とした語り口とは打って変わった様子である。

「いけない。火を消して、身をかがめて、どうか静かに。いいですかお嬢さん、連中の姿がどんなに恐ろしく感じられても絶対に声を出してはいけませんよ。あとは僕の言うとおりに」

梗子に火を消してと言ったくせに慌てた男は自分でふっと一息に火を消した。途端に黒と紫の靄と光の粒が降りてきて色濃くなった。紫の靄が煙のように二人の身体に纏わりつく。光の瞬きが繰り返されるのを見ていると随分と黒が濃くなってきたなと思う瞬間が訪れた。その矢先のことである。

静かに、尾を引くようにして、夜の闇とは違う色の濃い闇がいくつもいくつも目の前を横切っていく。それはぬっと現れては人の形になるようだけれども、じっと見れば靄とも雲ともなって形が定まらない。伸びたり縮んだりを繰り返すが、目を凝らして見ると背に冷たいものがぞわぞわと這いまわるようである。梗子は思わず目を逸らし隣にいる男の袂《たもと》を引いた。

「無理をしてまで見ない方がいいですよ。僕の後ろにでも隠れていなさい」

言われたとおり男の背中に隠れようとそっと頬を横に向けたとき、目に入ったのは印半纏を羽織った男の背中であった。普段は威勢のいい職人なのかもしれないが、今は異形に囲まれしょんぼりと背中を丸めて歩いている。顔はここからでは見えない。彼は伸びたり縮んだりを繰り返さないれっきとした人である。

「ねえ、人が交ざっているわ」

「分かっています。いいから黙って」

男が梗子の声を遮るのとほぼ同じ頃、異形のひとつが声を出した。

――おや何やら音がする。なんだろうか。

梗子ははっとして口元に手を当てた。しかし妙なことに見つかった恐怖よりも異形の声を恐ろしく思う気持ちの方が勝った。その声は男とも女ともつかず、また二重にも三重にもなって響く居心地の悪い響きを伴っていた。重く太い声で響くのに、耳を澄ますと中に一本氷のような硬い芯が通っていて気味が悪い。

紫の羽織を着た背中が、震える梗子を隠すようにぴんと伸びた。梗子とは対照的に男は落ち着いていた。男は声を張り上げた。

「御無礼をどうぞお許しください。わたくしは紛れ込んだ秋の風。寂しくか細い秋を告げようと月の光を追っていたらこちらに迷い込んでしまいました。すぐに過ぎますのでどうぞお見逃しください」

——なるほど秋風か。聞くところによると風でも特に秋の風はとてもよく喋りよく歌うと聞いている。

——あたくし風は好きだわ。秋の風は特に好きよ。家離《ざか》り旅にしあれば秋風の寒き夕に雁《かり》鳴き渡る……。

闇の塊が膨張を繰り返しながら秋風を名乗った男に迫った。

——お前は風か。

「そうでございます」

——ではお前の隣にいるのは何かね。

異形は紫の羽織の後ろに隠れている存在に目ざとく気付いた。異形の声は冷たく鋭く梗子の心を刺す。梗子は恐ろしさのため声も出せない。

「これはわたくしの妹の雪でございます。冬はまだ遠く彼方《かなた》。秋の風のわたくしとは違い、妹はまだ生まれたばかりで喋ることができません。雪は美しく舞うことが得意ですが、それは冬のこと。秋になったばかりの今はその場でまわることしかできません」

——ではやってごらん。

男が梗子の袖を引いて目配せした。叱責するような鋭い目で睨まれるかと思っていたが、意外にも慈しむような優しい目をしていた。まるで本当の兄妹《きょうだい》かと錯覚するほどである。梗子は男に見守られる心地でその場でくるりと回った。美しい身のこなしであった。着物の袖がうまいことまわって吹雪で舞う雪のようである。

──なるほど悪くないわ。

──生まれたばかりの今でこれなら冬になったらさぞ美しかろう。気に入った、持って帰ろうか。

「いいえお待ちください。妹は雪、形なきものを連れて帰ることはできません。それに雪は溶けて水となります。持って帰った頃には別物になっているかと」

──美しさは維持できないというのかね。

「ええ、ええ、風流好みの皆様がお持ちになるものではございません。どうぞおやめください」

途端に異形は興味が失せたと見え、破裂するほど大きく膨張した。かと思うと分裂を始めて人に似た形をたくさん作り行列となった。それはまるで狐の嫁入りのように行列をなして梗子たちの前を横切って消えて行った。霧のような消え方である。印半纏を着た男の姿も異形と共に消えていった。

「終わったのでしょうか」

「何とか終わりました。しかし間一髪だった。もう少しでお嬢さんを持って帰られるところだった」

「あの、あなたは秋の風なのですか」

「まさかまさか。僕が秋の風ならきみも生まれたばかりの雪になってしまいますよ。僕たちはれっきとした人間です」

れっきとした人間という言葉が梗子には力強く感じられた。それは異界の光の粒よりも蠟燭の火よりも強く明るく輝いて見えた。

「あの、危ないところを助けて守ってくださいまして有難《ありがと》うございます」

「なあに、礼には及びませんよ」

「でも、あの、ねえ、あの人。連れていかれてしまったわ」

「ああ、印半纏のあの男か。気の毒だが、彼はきみのように迷い込んだ人と違って既にあの異形の所有にあるんだ。ああなると僕の手に負える範疇《はんちゅう》を超えてしまっている。助けてやれないんだ。非常に残念だがね。僕は優しくなんて全然ないんだよ。中途半端なことしかできない」

そう言うと男は口を噤《つぐ》んで俯いた。梗子は男の顔をまじまじと見つめた。濃い眉にやや下がり気味の口角、目元は涼やかだが睫毛は長い。見つめるほどに新たな発見があるような気がして心が躍る。梗子はもっと彼の顔を見ていたいと思った。

男は梗子に見つめられていることに気付いたらしかった。しかし見られている理由が梗子が不安に思っているからだと勘違いしたらしく、梗子を元気づけるように力強い声で励ました。

「安心なさい。きみはちゃんと家に帰してあげます」

男は提灯の蠟燭に再度火をつけると、梗子の足元をじっと見つめた。

「どちらの足がお悪いんですか」

「お恥ずかしい話ですが両方です。左の方が特に悪いんですの」

「では左の足を少しだけ上げて、夜の帳の境界線をお探しなさい。ここに来た時のことをようく思い出して同じことをするんです。来ることができたなら帰ることもできるはずです」

梗子は言われたとおりここに来たときのことを思い出そうとした。そして一旦取りやめた。

「待ってください。あの、ひとつお願いがあるんです。わたしは両の足が悪いのです。元の場所に戻ったとしても、独りで家の中まで辿り着くことができません。どうか一緒に来て、わたしの手を家の中まで引いてくださいませんか」

両の足が悪くとも杖があれば時間はかかれど戻ることはできる。杖がなくとも這いつくばって戻ればよい。異形扱いで生きてきた梗子が夜中に地面を這おうとて今更何の問題があろうか。

梗子はささやかな嘘を吐いた。

「ああ、そういうことでしたか。わかりました」

男は朗らかにそう言った。男の顔に疑いはない。ただ善良なる親切心が紫の羽織を着て歩いている。梗子は疑われなかったことに安堵したが、しかし少し憎らしい気持ちも感じていた。こんな気持ちは初めてだった。

梗子が知る世界は祖父が買い与えたあの小さな離れ家と、そこにネロオとクレイとワアドと口を利かない女中たちと過ごした十七年ですべてであった。しかしその中に突如紫の羽織を着た男が現れたのである。出会ってたった数分しか経っていないというのに、この男は十七年の厚みをぽんと飛び越えて梗子の前に立った。母と乳母と祖父のために流した暗澹《あんたん》たる涙、それはついさっきのことだというのに、今はどうしても思い出せない。この紫の男のことしか考えることができないでいる。

己の気持ちに翻弄されている内に梗子は夜の帳を抜けていた。

はっとする梗子の手を男は約束通り取って、家まで引いてくれた。男に手を引かれながら、ああここはさっき涙を落とした庭だとぼんやりと考える。縁側でネロオがおおんと鳴いた。その声がいつもよりも愛《いと》しく感じられるのが不思議だ。

「おや猫がいますね。あれはあなたの猫ですか」

「ええ、ネロオといいます。急にわたしが消えたから心配して待っていたんですわ。あれは猫のくせに本当に心配性なんですよ。クレイとワアドという金糸雀も二羽飼っているんですけれど、そっちはネロオと違って能天気なんですけれどもね」

意気揚々と喋る梗子の姿に男がふふと笑った。また優しい笑みである。

「きみは見た目に反して随分お喋りなんですね。人形みたいな姿をしているからもっとお淑《しと》やかだと思っていた」

言われて自分がお喋りな人間なのかどうか考えた。人と喋ったことがないからわからない。しかしそういう面もあるのかもしれない。この男と話していると次々と新しい自分に出会う。

男は障子戸を引いて梗子を縁側から中に入れてやった。ネロオが待っていたとばかりに梗子の足元に纏わりついてぬあぬあ鳴いた。

「今日は疲れたでしょう。恐ろしいことに巻き込んでしまってすみません」

「あなたが謝ることではないわ。あなたはわたしを助けてくださったのよ」

「しかし連中に顔を見られてしまった。僕はそれがどうも気がかりで。おそらくきみは連中好みなんだろう。もう二度とあそこには行かない方がいい」

「ではもうあなたには会えないということですか」

「僕に会うのはどうでもいい。あそこに来て自由に歩けることは嬉しいだろうが、身の安全を第一に考えなさい。きみが所有されたら僕でも助けられない」

それから男は少し黙った。何か深刻に思い悩んでいる様子であった。

「そう、助けられないんだ。やはり顔を見られたのはまずかったよ。ひょっとしたら今日会ったのから話が広まってきみを欲しがる連中が増えるかもしれない。きみが欲しくてこちら側にまでやって来るのが出てくるかもわからない。心配だ」

「お待ちになって」

梗子は家具伝いに部屋の奥まで入り、引き出しから手鏡を取り出した。桔梗の模様の美しい手鏡である。手に持ち傾けると洋灯の下できらりと輝いた。梗子は男に託し言う。

「心配ならばこれを使ってわたしにときどき会いにいらして。あなたはその耳でもって持ち主の場所を知ることができるでしょう」

男は驚いたように梗子の顔を見ていたが、すぐに頼もしい表情で手鏡を受け取った。

「そうか。それは悪くない案だ。しかし僕は夜しか来ることができないよ。あそこは夜しか開かないから」

「夜で構わないわ。わたし、毎晩待っています」

「おかしなお嬢さんだ。まるで遠足前の子供みたいにそわそわして」

男はそう言うとふふと笑った。さっきまで緊張で刃先のように鋭かった表情が今はすっかり解けていた。男は手鏡の背面の桔梗の模様をまじまじと見つめた。そこに彫られている名前に気が付いたようだった。

「これはお嬢さんのお名前ですか」

「ええ、梗子といいます。あの、あなたは何と」

「叡一です」

男の名は梗子の耳を通り胸の内に深く刻まれた。その感触の何と温かく甘美なことか。梗子は口の中で叡一という名を呟いた。聞こえない程度の声で、金糸雀が歌うように幾度となく繰り返した。

そのとき風が大きく吹き木々が一斉に揺れた。起きた音は太い束となって二人を殴打した。よろける二人の後ろで夜が剝がれた。そんな気がして振り向いたが、夜は静かにそこにあった。弱弱しい月の光が秋の庭を照らしている。

「今のは風の音かしら。随分大きくてまるで地震のようだったわ」

「なんだろう、良くない感じがする。あんなのは僕も感じたことはない。気のせいだといいんだが」

そう言って叡一は聞こえないはずの左耳を押さえた。さっきの音の衝撃でひどく痛んだらしかった。

「やっぱりときどき会いに来るんじゃ心配だ。僕は毎晩来ることにします」

叡一はそう言い提灯と手鏡を持って夜の庭へ戻った。追いかけようとして傾いた梗子の身体が障子戸に凭《もた》れた頃には叡一の姿はもう消えていた。梗子は弱弱しい月の光を浴びながら誰もいない秋の庭を暫く見つめていた。

それから叡一は毎晩梗子に会いに来るようになった。しかし夜の隙間から姿を現したかと思うと、縁側に立つ梗子の姿を見てすぐに帰ってしまうのだった。夜に男女が逢瀬《おうせ》を重ねるのは体裁が良くない。そのことは梗子もよく理解していたがそれでも味気ないと感じてしまう。

「わたしは叡一さんと一分でも一秒でも長くお会いしたいというのに、叡一さんは幻のようにすぐに消えてしまうのよ。ああ、また叡一さんと以前のようにお話しできたらいいのに。お前たちのように楽しく囀《さえず》ることができたらどれだけ楽しいかしら」

梗子は二羽の金糸雀に話しかけた。するとクレイとワアドは身を寄せ合い、ぴぴぴと囀った。それはまるで相談するかのような仕草であった。

果たしてその晩、叡一が現れた瞬間にワアドの方が障子戸の隙間から飛び立った。月の光をふんだんに浴びたワアドは叡一に向かって真っ直ぐ飛び、彼の提灯の柄に止まった。叡一はきょとんとした顔でワアドを見つめている。

「叡一さん、ワアドを逃がさないで。こちらまで連れてきてください」

梗子はワアドがこのまま月まで逃げて行くのではないかと気が気ではなかった。梗子の気迫が伝わったのか、叡一はゆっくりと梗子のいる方まで歩いた。ワアドは提灯の柄に止まったまま動かなかった。

「金糸雀の羽は切っていないんですね」

「ええ、本当はそうしなければいけないんでしょうけれど、わたしの足がこうだからこの子たちの羽を切ることは可哀想でできなかったんです。普段は二羽とも外に飛び出すことは絶対にないんですけれど、今日は一体どうしたのかしら」

「鳥は夜は目がきかないというけれど迷信もいいところだな。元気が余っていたのかもしれない」

「わたしが最近夜更かしだからですわ。この子たちも一緒に夜更かしになってしまったんです」

「じゃあ本をただせば僕のせいか」

黒猫のネロオがおああと鳴いた。同意するような間合いだったからか叡一は笑った。

「元気にしていましたか梗子さん」

「ええ、おかげさまで」

「日常を脅かすような違和が起きていませんか」

「起きていません」

ワアドがぴぴぴと鳴きながら叡一の腕や肩に乗った。ややあって叡一が静かに切り出した。

「梗子さんとこうして話をするのは久しぶりだな。本当はさっきみたいなことを毎晩確認すべきだったんだ、顔を見てすぐに帰るんじゃなく」

「そうですよ。叡一さんが、異界から誰かがわたしを欲しがりにやって来るなんて脅かすから、わたしは毎晩怖くて眠れない思いをしていたんですよ。なのに叡一さんったら、顔を見るとすぐに帰ってしまうんですもの。薄情な方だわ」

桜子は冗談めかしてこう言った。梗子が夜眠れないのは叡一に会いたい気持ちが募るからであって、異界の存在が恐ろしいからではない。叡一を笑わせたくてわざと大袈裟に言ってみせたのに、叡一は真剣な面持ちで黙ってしまった。梗子は狼狽えた。

「それはそうだな……」

「叡一さん、冗談ですわ。怒らないでください」

「怒ってはいません」

そうは言ったが叡一は思い詰めた顔をしていた。それからぽつりぽつりと言葉を紡いだ。不器用で洗練されていない言葉だった。

「梗子さん、どうか笑わないで聞いてください。僕は本来の目的を忘れそうになる自分が怖くてきみに話しかけることができなかったんだ。初めて会った日から僕はきみのことを考えてばかりいる。きみの身を守るために来ているはずなのに、いつの間にかきみに会いたくて来るようになってしまった。僕はどうかしている。昼間だって、道端に桔梗の花がないか探しているんだ」

そこまで言うと叡一は言葉を切って帰り支度を始めた。

「喋り過ぎたな。無事ならいいんです。帰ります」

「待ってください」

叡一を追いかけようとした梗子の身体が大きく前に傾いた。梗子の身体が頽れる前に叡一は身を翻して受け止める。叡一の胸に深く身を埋めている梗子の耳に入るのはネロオとワアドとクレイの鳴き声だけだ。その内、耳にする音の中に叡一の心臓の音が交ざっていることに気付き、気付いたらもう叡一の心臓の音しか聞こえなくなった。

二人はこれ以上言葉を重ねることはしなかった。互いの心が重なった今、言葉を重ねる必要はどこにもなかった。

二人は逢瀬を重ねていき、出会った頃に吹いていた秋を告げる風は、いつの間にか秋の終わりを告げる風へと変わっていた。

ある夜のことである。縁側で梗子が叡一を待っている間、突如足に静謐な冷たさを覚えた。光の粒にきらめく水に足を浸している画が脳裏に閃き、不思議だと感じた瞬間、強い眠りに引き込まれた。

叡一に会うのに眠ってはいけない。眠気に抗《あらが》い夢か現《うつつ》かわからぬ意識の中で、梗子の名を呼ぶ声がする。叡一の声ではなかった。知らぬ男の声であった。美しい声をしている。声を聞いている内に瞼はゆっくりと下りて行った。

瞼を閉じているというのにはっきりと目に見えるものがある。夜の帳が秋風に一斉に翻ったかと思うと、夜の裏側から水車のように大きな桔梗の花が一斉に咲き乱れた。咲き乱れる桔梗の花の中に細面の男の姿が浮かび上がる。美しい錦の着物を身に纏い、顔はよく見えない。

——会いたかった。桔梗の名を持つ美しい乙女よ。さあ、共に行こう。

男の声と共に白い指が梗子に差し出された。梗子の身体は眠りに落ちているために動かない。男の背後で桔梗の花は水車のごとくゆっくりと回っている。熱を出したときに見る美しい悪夢のようだった。男の美しい指が梗子に触れるか触れないか、そのときである。背後で新たな声が響いた。

「恐れ入ります高貴な御方。話に割り入る無粋な真似、どうぞお許しください」

梗子の瞼の裏で竜胆の紋の入った提灯が光るのが見えた。

——誰だ貴様は。

「わたくしは梗子の兄でございます。妹があなたのような高貴な御方の御目《おめ》に適《かな》ってたいへん光栄に思います。しかし妹はいま月下美人を育てておりまして、その花が咲くのを見届ける前に現世に別れを告げさせるのは、兄としてもあまりに不憫《ふびん》に思います。よって今しばらくお時間をいただきたいのです。花を愛する風流なあなたでしたら妹の気持ちも御理解いただけるかと存じます」

——その花はいつ咲くのか。

「来年の秋でございます高貴な御方。この世で最も高貴な花は桔梗でございますが、月下美人は一度しか咲かぬ貴重な花。どうぞ妹の気持ちを汲んでお許しください。何卒、何卒」

水車のごとくまわる巨大な桔梗の群れの中、小さな竜胆の提灯が揺れている。横たわる梗子を名残惜しそうに一瞥《いちべつ》して、錦の着物の男は吐き捨てた。

――では一年後必ず迎えに来る。もしも約束を破ったらそのときは命はないものと心得よ。

「もちろんでございます。御温情まことに感謝いたします」

巨大な桔梗はゆっくりと回転して花を閉じて蕾《つぼみ》になった。茎と葉が後方に巻き戻り夜の裏側へと静かに仕舞われていく。錦の着物の男の姿も消えていった。

梗子がはっと目を覚ますと、ネロオの心配そうな顔があった。首を傾けるとクレイとワアドがぴぴぴと鳴きながら梗子の身体の上を飛び跳ねている。梗子の耳に届くのは誰かの悔し泣きの声である。見ると庭で叡一が顔を覆って立っていた。

「梗子さん、すまない。きみを守れなかった。あれは連中の中でも別格だ。あんなのはこれまで見たことがない。僕も話をしていて気を失うかと思った。口から出まかせに期限を延ばすことで精いっぱいだった。一年後きっかりにあいつはきみを迎えにやって来るだろう」

梗子は左足に尖るような熱を感じた。叡一に頼んで足の裏を見てもらうと叡一の顔の色がさっと白くなった。叡一は震える声で言った。

「所有の証が刻まれている。いつか見た印半纏の男を覚えているかい。あいつも左足にこういう証が刻まれていたんだ。つまり、きみは既にあいつに所有されている。僕に手が出せる領域ではないということだ」

「そんな。わたし、叡一さん以外の男の人と一緒になるなんて嫌です」

「そうだ、そうだとも。僕だってきみをあいつなんかにやりたくない」

「何とかならないんですか。あまりにも酷い」

叡一は沈んだ表情で唇を嚙んでいたが、ふいに震える声でこう言った。

「ひとつだけ方法がないこともない。ただし可能性は極めて低くとても危険だ」

梗子は叡一の説明を神妙な面持ちで聞いた。確かに危険な方法であったが、静かに頷いて案を吞んだ。

その後まもなく梗子は身籠った。梗子が決して父親の名を明かさないので祖父は激怒し、やはり梗子が忌み子であると罵った。梗子が夜に魅入られたことを感づいていた女中たちは、梗子が人ならざる存在の子を身籠ったと噂を立てた。祖父は子供が生まれたらすぐに手にかける算段でいたが、梗子が真夜中に出産してすぐに、紫の羽織を纏った男が現れて赤子を攫って消え去ってしまった。

「梗子さん、僕はきみを助ける方法をきっと見つけてみせる。ネロオとクレイとワアドとでいつかきみをきっと迎えに行く。だから待っていてほしい」

叡一は生まれたばかりの娘を抱いて、黒猫と二羽の金糸雀と共に夜の裏側に消えて行った。懐には桔梗の美しい手鏡が大切に仕舞われていた。

錦の男との約束の日から一年後、梗子は忽然と姿を消した。祖父と女中がどれだけ捜しても見つからなかった。桔梗の咲く秋の日のことであった。

「わたしを迎えに来たのは異界の連中の王といえるような大きな存在でした。彼はわたしを所有しようとしたけれど、お前がそこにいなかったからできなかったの。お前はわたしから生まれた娘、いわばわたしの身体の一部ともいえる存在。娘まで所有しなければわたしのすべてを所有することにならなかったの」

「おかとときの住まう場所はそれはそれは恐ろしいところだと聞いています。お母様も酷い目にお遭いになったのでしょうか」

竜胆が目を潤ませて梗子の手を握るのを私は見た。梗子は娘の手の温かさに目を細め、

「いいえ、あの方はわたしに酷いことは決してしなかった。わたしは玩具ではなく花嫁として迎えられたのです。しかし先程も言ったように、わたしの身体の一部であるお前が手に入らなかったので契りを交わすことはできなかった。わたしが想うのは今も叡一

さんただ一人、異形に嫁入りなどしたくはない」

「お母様は竜胆の咲く季節になったらここにいらっしゃるようお父様に言われていたのですよね。お父様はお母様をここにお呼びになってどうなさるおつもりだったのでしょうか」

「それはわたしにもわかりません。わたしは叡一さんからそれ以上のことは何も聞かされていないの」

梗子が悲しそうに目を伏せるのと同時に竜胆は八十椿《やそつばき》の腰掛ける縁側まで駆けた。竜胆が燃えるような目で八十椿を見下ろしたので、私は彼が萎縮するのではないかと思ったが、意外にも彼はこれを予期していたらしく顔色一つ変えず竜胆を見上げた。

「いいよ竜胆、その先はすべてを知っているぼくが説明しよう」

八十椿は落ち着き払って話し始めた。

先代の竜胆はおかとときを相手に商売を行い、梗子を連れ戻す方法がないか情報を集めていた。梗子を引いていったのはおかとときの中でも位の高い主と呼ばれる存在であったため、調査は困難を極めていたが、十七年の時を経て漸く主を殺す方法を突き止めたのである。それは主の心臓に竜胆の花の種を植え付けることであった。

今年の春、先代はなんとか主に接触し、かの心臓に種を植え付けることに成功したが、同時に主から返り討ちに遭い、徐々に生命が消耗していく呪いをかけられたのであった。

呪いに苦しみつつも主の目を盗み、梗子に会って竜胆が咲く秋になったら例の屋敷に逃げてくるようにと松の葉を渡し、命からがら屋敷まで逃げてきた。

　主から受けた呪いは徐々に進行していく。秋まで己の命が持たないと悟った先代は、娘の菖子に竜胆の後を継ぐよう文をしたためる。娘の菖子には危険な目に遭わせたくないということ、菖子が主に連れていかれると梗子が完全に所有されてしまうこと、二つのことから先代はこれまで菖子を東京に一人住まわせていたが、のっぴきならない状況に、泣く泣く愛娘《まなむすめ》を渦中に放り込むことを決断したのである。

　文には母梗子のこと、今後の指示、そして短いながらも娘への情愛をしたためた。そして親指を強く嚙んで、障子紙で作った竜胆の押し花に血判し、それを自らの依り代《よしろ》として同封した。主の心臓に植えた竜胆の花は植えた人間の声を聞いて開花する。主が梗子を追いかけて屋敷までやって来たとき、娘の菖子が依り代を使い亡くなった先代を呼び寄せて開花させるつもりでいたのだった。

「だけど竜胆、知っていると思うけれど、依り代はあのとき一緒に燃やしてしまったよね。だからもう、これ以上はどうすることもできないんだ」

　八十椿がそう言うと竜胆の唇がわなわなと震え始めた。震えは手や肩、脚にまで広がって、ついには立てずに蹲ってしまった。竜胆は両手で顔を覆い、蹲ったまま言った。声まですっかり震えている。その姿に私は胸が締め付けられるような心地がした。

「嗚呼、お父様も、檜葉も、立山も、白樺も、命を懸けてまでお母様を助けようとしていたのに、わたしはそれを燃やして台無しにしてしまった……」

「そうだよ。きみの失敗で十七年に及ぶ先代の計画は御破算だ」

蹲ったまま竜胆が泣き始めるのと同時に梗子の声がぴしゃりと響いた。

「お前は一体何だというの。何の権利があって娘をそれほど執拗《しつよう》に責めるの。何があったかわからないけれど、わたしは娘を責めることはしません。叡一さんだってそうだわ。菖子はこの父と母のためによくやってくれた。これで十分です、ありがとう」

「いいえ、いいえお母様。わたしは何もやっておりません」

「よくお聞き。これから間もなく主がわたしを追いかけてここにやって来るでしょう。それは叡一さんも歯が立たなかった恐ろしい相手。そんな相手とお前を対峙させることはできない。万が一お前が連れて帰られたらと思うと身震いがする。わたしは大人しく帰ります」

「いけませんお母様。お父様も、檜葉も、立山も、白樺も、お母様のために命を懸けたのです。わたしも同様に命を懸けなくては、皆に申し訳が立たないというものです」

「強情な子だこと。本当に、わたしによく似ている」

梗子は困ったように微笑むと、桔梗の車を娘の脇まで走らせた。そして蹲る娘の後頭部を幼子を慰めるように撫でて言った。

「わたしも叡一さんもお前の命など要らないのよ。願うのはお前の幸せだけ。これからは自分のために生きなさい。さようなら、愛しい子」

桔梗の車はゆっくりと動き出す。松の木に向かって夜の帳をめくってあちら側に帰ろうとする。

竜胆は顔を上げ、泣きながらその後ろを追いかけた。

「待って、待ってください。お願い行かないで」

しかし竜胆がどれだけ走っても距離は縮まらない。涙で滲んだ視界にまばゆい光が広がって、桔梗の車は跡形もなく消えた。

竜胆は私が今までに見たことのないほどに落胆していた。

「嗚呼。もうわたしにできることはない。もう何も考えが浮かばない」

竜胆は私に向かってそう言った。

「あとはあなたが何とかしてください、堀出さん」

【五一分四五秒】

枝園里茉《しえんりま》、これは私がカウンセリングを担当することになった高校三年生の少女である。

里茉はいわゆる不登校児であったが、高校二年生の秋までは進級できる程度の出席日数を確保できていた。それが突然学校へ行けなくなってしまったということで、母の琴子に連れられて私の勤務する病院にやって来たのである。

琴子は、里茉が発達障害であることを疑いその治療を希望していた。発達障害が原因で学校に行けなくなる子供は確かに多い。しかし検査の結果、里茉は発達障害ではなかった。

里茉の検査を担当したのは私ではなかったのだが、担当した小沢いわく、琴子は診断結果に納得いかず発達障害の治療を強く希望したという。琴子は非常に気の強い母親であるようだった。小沢が柔らかい印象であったのも手伝ってか、琴子は小沢を追い詰めるように大きな声で検査の疑わしさを主張した。いわく、小沢の声に覇気がなかった、小沢の動きが鈍かった、小沢が数値を読み違えた等、ときどきは激しい罵倒も交えて苦情をまくしたてたという。

私は小沢に、里茉はそのとき琴子の隣で何をしていたのかを尋ねた。小沢は、里茉は俯き押し黙り、まるで他人事《ひとごと》のようにしていたと答えた。

　小沢と精神科医の話し合いにより、里茉は私のカウンセリングを受けた方が良いだろうという話になった。私は精神科医から里茉のデータを受け取り、里茉が不登校になった頃から家で急に喋れなくなったことを知った。小沢から聞いた里茉の様子も合わせ、私は里茉が緘黙《かんもく》の可能性があると判断した。それで、里茉のために全十二回のカウンセリングを計画したのだった。

　最初のミーティングで私は初めて里茉と対面した。カウンセリングでは録音を行うが、今日はミーティングなので録音はしない、だから緊張しなくて良いという内容を確認も兼ねて伝えたが、机を挟んだ向こう側にいる里茉は俯き目を伏せ、やはり小沢の印象と同じく他人事のようにしていた。まるで自分とそれ以外を空間ごと切って知らん顔を決め込んでいるかのようだった。私は里茉に質問をし始めた。私は里茉の口から色々なことが聞けるのを期待していたが、実際に答えたのは母親の琴子であった。私の里茉への質問をすべて琴子が答えてしまったのである。

　私は部屋の隅に椅子を置き、琴子にそこに移動してもらうことにした。こうすれば机についているのは私と里茉だけである。琴子は不服そうであったが、私は構わず里茉への質問を始めた。けれども里茉はやはり他人事のようにしていた。その青ざめた唇は一向に開かない。

部屋の隅で琴子がそれ見たことかと言わんばかりに笑みを浮かべている。私はひとつの可能性を感じ、琴子を連れてカウンセリングルームを抜け出した。

「お母さん、里茉ちゃんなのですが、非常に緊張しているようです。里茉ちゃんにとって何が有効なのか分からないので、色々な方法を試してみる必要があります。今日はお母さんに席を外していただいて、私と里茉ちゃん二人きりで話をしてみようと思っています。これが有効ならば今後も二人きりでカウンセリングをする予定です。上手くいかなければお母さんに同席していただいて、お母さんにもご協力いただこうかなと思うのですが」

「保護者であるあたしがどうして同席してはいけないの。親として娘のことを知る権利と責任があると思うわ。堀出さんでしたっけ、あなた少し勝手なんじゃないですか」

「お母さんが里茉ちゃんを心配に思う気持ちはよくわかります。カウンセリング内容は後日ちゃんとご報告しますので、ひとまずは私にお任せいただければと思います。私で不安でしたらドクターにご相談いただいても構いません。里茉ちゃんのカウンセリングについてはドクターと相談して決めていますから」

精神科医の存在をちらつかせると琴子は急に大人しくなった。そして唇を噛み、きまり悪そうに声をひそめて言った。

「里茉があたし達家族のことを悪く言うことがあるかもしれませんが……、でもそれはでたらめなのでどうか信じないでほしいんです。あの子は被害妄想が強いんです。あたし達家族は里茉のために精一杯頑張っています。子供の里茉ではなく大人であるあたしの言うことを信じてほしいんです」

私は面喰らい一瞬言葉を失ったが、それを顔に出さず極力優しい声で言った。

「お子さんが不登校になった場合矢面に立たされるのは主にお母さんです。お母さんが頑張っていること、辛い思いをされていること、私はよく理解していますよ。大丈夫、ここでは誰もお母さんを責めたりしません。今日のミーティングが終わったらご連絡しますね」

琴子は一応は納得したようだった。私に軽く頭を下げると、病院の長い廊下を歩き始めた。小さくなっていく背中は心なしか不安げであった。

私は今の琴子とのやり取りで、里茉が話さない原因は琴子にあることを確信した。それで急いでカウンセリングルームに戻り里茉と顔を合わせたが、当てが外れた。琴子が席を外しても里茉はやはり俯き押し黙っているのである。

私はクリアファイルから里茉のデータを取り出し、まずはこの情報が合っているかの確認作業を行った。無理に声を出さなくてもいい、頷くだけでも良いからと伝えた。この情報は精神科医の診察から得たものだが、恐らくは琴子が里茉の代わりに話したものと思われる。

里茉は父母兄との四人暮らし、兄とは一歳違いである。里茉は子供の頃から大人しい性格で、部活動にも所属していなかった。習い事は学習塾のみで、親の希望もあり勉学に力を入れていたが、高校受験では第一志望の学校に合格することはできなかった。それから私立の高校に通い始めたが、次第に学校を休みがちになった。友達は特にいなかった。しかし一歳年上の取石嶺《とりいしれい》といういとこがおり、彼の家にたびたび出入りすることはあった。

私の確認に里茉は目を伏せたまま静かに頷いていたが、私が取石嶺の名を出すとはっと身体を強張らせた。里茉と他人を区切っていた空間の切れ目がそこから綻んでゆるゆると解けて行きそうな気配があったのを私は見逃さなかった。私はなるべく自然を装い、柔らかい声を保ったまま続けた。

「取石嶺くんについてなのですが、彼は、琴子さんの姉、丞子《じょうこ》さんの息子と聞いています。これは合っていますか？」

「合っています」

里茉が初めて声を出した。これを逃してはならないと私は続けた。

「嶺くんのお家《うち》とは交流は結構あったのかな」

「いいえ。お母さんと丞子おばさんは仲が悪くて、あまり顔を合わせたくないようでした」

「そうなのね。仲が悪いのにいとこの嶺くんと出会ったのはどんなことがきっかけだったのかな。世の中には一生いとこの顔を見ないという人もいるのよ」

「初めて会ったのがいつだったのかは覚えていないけれど、お盆とお正月はおばあちゃんの家に行くことが決まりになっていて、そこで必ず会っていました。でも、お母さんは丞子おばさんが嫌いだから、それ以外では嶺くん一家とは決して会うことはありませんでした」

「なるほど。それでも里茉ちゃんは嶺くんと交流があったのね。お兄さんの郷人《ごうと》くんは嶺くんと同い年みたいですが、この二人も仲が良かったのかな？」

「いいえ。お兄ちゃんは嶺くんを見下してろくに話をしませんでした。というか、わたしの家族全員が嶺くん一家を馬鹿にしていたんです。お父さんもお兄ちゃんも県で一番頭のいい公立高校出身で、それを鼻にかけているんです。そこより下の高校に通っている人は全員馬鹿だとかどうしようもない人間だとか、そういう風に悪く言うの。わたしはそれが凄く嫌でした。嶺くんも、おじさんも、おばさんも、とても良い人なのに……」

　里茉はそう言うとぎゅっと身体を強張らせた。依然として目を伏せ俯いてはいたが、その瞼や唇は悲しみで震え、膝の上に握られた拳にも力が込められていた。里茉が感情を見せることに躊躇《ちゅうちょ》がなくなったのを私は悟った。

「そう、嶺くんも、おじさんも、おばさんも、とても良い人だったんだ。みんな里茉ちゃんに優しくしてくれたのでしょうか？」

「うん、はい。そうです……。みんなわたしに優しくしてくれました。お父さんやお母さんやお兄ちゃんみたいにわたしを馬鹿にしたり怒鳴ったり追い詰めたりするようなことは、みんな絶対にしなかった。わたしに居場所を与えてくれた、大切な人たちです」

「なるほど。里茉ちゃんが嶺くんの家に遊びに行くようになったのはいつからなの？」

それから里茉はゆっくりと、自分の言葉を噛《か》み締《し》めるように話し始めた。するともう他人事の表情を浮かべる里茉はそこにいなかった。感情が溢《あふ》れ出《だ》している。正の感情も、負の感情も、里茉の全身から堰《せき》を切ったかのように流れ出ている。私は里茉の背後に顔も知らないはずの取石嶺という少年が立っているのを見た。

里茉は話す。祖母の家で年に二回だけ会う取石嶺は里茉にとって特別な人間だった。というのも、嶺は勉強がそれほど得意ではなかったのに、おおらかで優しくのびのびとしていたからである。

里茉の家では成績優秀ではない子供は厳しく叱責され、馬鹿にされることになっている。子供の頃から成績優秀な郷人と違い、里茉は平均点を取るのがやっとであった。里茉は家族の中では道化であり、テレビに愚鈍な動物や人物が映ればまるで里茉のようだと家族全員が笑い、家の中で何か問題が起これぱどうせ里茉が原因だろうと問い詰められた。したがって里茉は常に周囲の様子を窺《うかが》ってびくびく過ごす癖がついていた。

祖母の前では母親の琴子が兄の郷人がどれだけ成績優秀かを話すのが常であった。

「郷人はテストでは百点以外を取ったことはないのよ。通知表もほとんどA。郷人を褒めてあげてよ、お母さん」

母親の琴子がそう言うと、祖母は大喜びで幼い郷人を抱き寄せ、偉いね賢いねと言ってその小さな頭を撫でまわした。里茉はそんな郷人の姿を見てお腹《なか》の底がきゅうと痛くなるのを感じ、その場から逃げ出したくてたまらない気持ちになっていた。

「姉さん、嶺の方は学校でどうなの」

「嶺はねえ、何でもそこそこよね。テストも通知表もそこそこ」

「そう、ぼくは何でもそこそこ」

嶺と母親の丞子が笑いながらそう言うと、郷人が大きな声を出した。

「じゃあ、褒めるところないじゃん！」

里茉以外の枝園家がどっと笑った。

里茉はまるで自分が笑われているような気持ちになりひやりとしたが、しかし嶺を始め取石家は気分を害さず優しい顔をしていた。

「確かに嶺は郷人くんみたいに成績優秀じゃないけどね、嶺には嶺のいいところがたくさんあるのよ。ほら、見てお母さん。嶺が夏休みに描いた絵。傑作よ。嶺の夏の思い出が全部描かれているの。嶺には夢中になれることがたくさんあるの」

丞子は夫と二人がかりでその絵を祖母の前で開いた。襖二枚分ほどの巨大な絵が眼前に広がり里茉は息を呑んだ。こんなに大きな絵を描いたことなど今までに一度もない。魚がたくさん泳ぐ海、花火の咲き乱れる夜空、朝顔とひまわりと蟬、それらが画面いっぱいに生き生きとしている。

「おばあちゃん見て見て。あのね、ぼくがこだわったのは、色と形なんだ。海の色はよく見ると青じゃなくて、たくさんの色が混ざっているから、赤や緑や黒やたくさんの絵の具を使ったんだ。夜空も黒じゃなくて青や橙を使っているよ。魚は本当にいる魚じゃなくて、ぼくが夏に見たたくさんの思い出が詰まった夢の魚。一匹ずつデザインしたんだ。ぼくは今年、本当に見たことと、ぼくの気持ちが上手く合わさるような絵を描いた。これは初めての挑戦だった。何回も下書きをして、何回も色を作って、ぼくの中で新しい世界を広げたんだ！」

祖母の腕にしがみつきながら、興奮気味に報告する嶺の瞳はきらきらと輝いていた。絵に描かれた海や夜のようにたくさんの色で輝いているような気がして里茉は目が離せなかった。

するとその隣で郷人が冷めた声で言った。

「その絵って、賞を取ったの？　夏休みの課題の一研究って、優秀なものには金銀銅の賞が与えられるよね。オレは今年、融点と沸点の研究をして金賞を取ったけど」

「ぼくの絵は賞を取らなかったよ」

「金銀銅どれも？」

「どれも」

　枝園家が無言で目配せをしながらくすくすと笑っていた。笑っちゃ悪いよ、といった風に。

「賞はないけど、ぼくの宝物だよ」

　真っ直ぐな目で嶺は言った。怒りも皮肉もない素直な気持ちだけがそこにあった。

「でも郷人はすごいね。自由研究でも金賞だなんて、頭がとてもいいんだね」

　嶺は郷人に惜しみない称賛を贈った。その屈託のない笑顔が彼の絵の中の金色の向日葵《ひまわり》と似ていると思ったのを里茉は今も覚えている。

「これは何歳の頃のエピソードなんですか？」

　里茉の話がひと段落したので私は尋ねた。

「わたしが小学二年生の頃の話だったと思います。嶺くんは小学三年生でした」

「なるほど。小学三年生で襖二枚分の絵を描くなんて凄いね。嶺くんは美術が得意だったのでしょうか？」

「いいえ、美術の成績もやはりそこそこだったようです」

里茉がふふふと柔らかく微笑んだ。その笑顔に私の頬も自然と緩んだ。

「他にエピソードがあれば話してください」

里茉は弾むように頷いて、話を再開した。

里茉が小学五年生になって、ますます学習内容が難しくなった頃、里茉はこれまで以上に勉強に対する壁の大きさを感じるようになってしまった。ほぼ毎日学習塾に通っているのに模試で点が取れない。これに誰よりも焦ったのは母親の琴子であった。琴子は成績優秀な夫と息子と同類のように振る舞っていたが、実は偏差値の低い高校出身であった。琴子はこれを隠そうとしていたが、里茉の成績が振るわないと、父が、

「母親に似たんだろ」

と冗談交じりの嫌味を言うので、子供たちも自然と察してしまったのだった。

成績の振るわない里茉に対し、琴子は厳しく接するようになった。里茉の一挙手一投足を監視し欠点を鋭く指摘し叱る。琴子の金切り声に里茉は追い詰められ、だんだんと食事や睡眠が上手く取れないようになっていた。呼吸の仕方を忘れて身体が痺れて動かなくなる日もあった。口を開くと琴子に叱られるので喋ることもやめてしまった。

その小学五年の夏のこと、いつものように祖母の家へ行くと、丞子が里茉を誰もいない廊下にこっそり呼んで囁いた。

「里茉ちゃん、今度の日曜日時間あるかな。うちに遊びに来なよ。さっきお母さんと話したの。来週の日曜日の午後、車で里茉ちゃんを迎えに行くよ」

里茉は嶺の家に行ってみたかった。しかしそうすると、帰った後に琴子に激しく叱責されるかもしれない。想像するだけで恐ろしくて震えた。急に腹の底がきゅうと締め付けられ、里茉はその場にしゃがみこんでしまった。全身の震えが止まらない。

「里茉ちゃん大丈夫？」

丞子が言うと居間にいたはずの琴子が鬼の形相で飛び出してきた。

「里茉、あんた人前でそういう芝居して気を引こうとするのやめなさいっていつも言っているでしょう。丞子おばさんは嶺くんの家に行くかどうかって聞いてるの。さっさと答えなさい。丞子おばさんが迷惑するでしょ」

琴子が里茉の腕を強く引っ張った。すると普段穏やかな丞子が突然声を荒らげ、二人は激しい言い争いを始めた。具合が悪かった里茉は二人の言い争いの内容が頭に入って来なかった。長い姉妹喧嘩《げんか》の後、里茉が嶺の家に遊びに行くことが決定した。

日曜日の午後、迎えに来てもらった車で嶺の家に行くと、嶺はリビングのカーペットの上に寝転がって天井を眺めていた。

里茉は恐る恐る嶺に近づき、顔を覗き込んだ。

「こうして天井の模様を見ているとね、面白いものが見られるんだよ」

嶺は天井から目を離さず言った。嶺がそう言うので里茉は隣に寝ころび同じように天井を見つめた。リビングの天井は大きな歯車に花や葉が絡んでいるような模様だった。隣に嶺がいるということが里茉を少なからず安心させる。嶺は絶対に里茉を否定するようなことは言わない。

不思議な時間だった。普段なら時間があれば学校の宿題や学習塾の予習復習に費やして疲弊している。何もしないで仰向けに寝転んでいることなんてなかった。しかし里茉はこの時間が嫌いではなかった。里茉を閉じ込め押し込めてくる固い空気が柔らかくなってどんどん広がっていく気がした。

どのくらいの間天井を眺めていただろうか。突然天井の歯車がぐにゃぐにゃと歪んで回り始めたのだった。幻だとすぐに分かるような歪《いびつ》さと粗さだった。寝ぼけながら古い映画のアニメーションを見ている感覚にも似ていた。

「里茉にも見え始めたかな。なんかね、同じものをずっと見続けると目の錯覚で動き出すんだって。ぼくがタオルをずっと見続けていたときは、糸の一本一本がお百姓さんになって、畑を耕し始めたよ。ぼくはよくこの遊びをやるんだ」

里茉は歯車の回転を眺めながら嶺の声を聞いていた。重圧から解放されゆったりとした時間が流れていく。贅沢《ぜいたく》な時間だと思う。里茉の身体を常に支配している強張りが今はない。

暫くして、嶺が里茉に深く瞼を閉じるように言った。この遊びをやめるときは一度目を閉じてリセットする必要があるという。そのとき、里茉に久しぶりの眠りに入る前の柔らかなあの感覚が降りてきた。今晩は上手く眠れるかもしれない。里茉はそう思った。

里茉が瞼を開けると嶺から次は何をして遊ぶかと尋ねられた。首を横に傾けると隣に寝転んでいる嶺の顔が見えた。嶺も同じように首を傾けて里茉の方を見ている。嶺は柔らかく微笑んでいた。

「嶺くんの夏休みの絵がもう一度見たい」

里茉がそう言うと、嶺は二階の自分の部屋に里茉を連れて行った。例の絵は筒状に丸められてベッドとクローゼットの間に仕舞われていた。

「せっかく描いた絵なのに飾らないの？」

「宝物っていうのは大切にしまっておくものなんだよ。それでときどき取り出して眺めてにやにやするものなんだ」

嶺の絵はあのときから全く色あせていなかった。それどころか今見ると一層美しく輝いて見えるのだった。嶺を通した世界がこれほど輝きに満ちているのがとても羨ましく感じる。

「やっぱりこれはぼくの大事な宝物だな。見返すたびにこの絵を描いていたときのわくわくする気持ちや楽しい気持ちを思い出す。この絵の中に小三の夏休みのぼくがずっと生きているんだね。この頃のぼくはとても幸福そうだ」

嶺はふふふと笑っていた。言葉通りとても幸福そうな顔をしている。

「いいな。わたしには宝物がないから羨ましいよ」

「宝物はなくても、好きなものはきっとあるよね。里茉の好きなものって何?」

里茉は暫く考え、あることを思い出した。しかし口に出すかどうかは迷った。それでも嶺ならば大丈夫だろうと思い、里茉は口を開いた。

「わたし、紫色が好きなの。でも、ランドセルを選ぶときにそんな色やめなさいってお母さんに言われて、そこから紫が好きだって誰にも言えなくなっちゃった。紫は今でも好きなんだけど、否定されるのが嫌だから、秘密にしてるんだ。服や文房具を選ぶときも紫以外の色にしているの」

そこまで言い切ると、嶺と目が合った。嶺はやはり柔らかく微笑んでいる。そこで里茉は自分の話が一切遮られなかったことに気が付いた。家では途中で琴子が口を挟んでしまうので最後まで話せたことがなかったのだ。たったそれだけのことなのに、里茉は自分の心と体が軽くなり、どこへでも行けるような力が溢れてくるのを感じた。

それから里茉はたくさんのことを話した。こんなに自分のことを話したのは初めてかもしれない。嶺はやはり里茉の話を遮らなかった。話を聞いてくれる嶺の瞳はやはりきらきらと輝いていて、里茉は自分の瞳も同じようにきらきらと輝いているのではないかと期待した。それはとても幸福な時間だった。

やがて夕方になり帰る時刻になった。別れ際、嶺は引き出しから紫色のビー玉をひとつ出して里茉の手に握らせた。そしてやはりきらきらと輝く目で里茉に言った。

「これ里茉にあげる。このビー玉、宝石みたいに綺麗だろ。これをこっそり隠し持ってさ、ときどきそっと眺めるといいよ。そしたら好きって気持ちが溢れてきて、元気が出るから。絶対」

嶺はきらきら輝く瞳のまま、屈託なく笑った。

里茉は帰りの車の中でも、帰った後の家の中でもその紫のビー玉をこっそりと取り出して眺めた。嶺の目ほどではないがきらきらと輝いてとても綺麗だ。紫の光が手のひらの中に広がって好きだという気持ちが溢れてくる。それはとても力強い気持ちだった。

その日、里茉は夕食をしっかり食べ、眠ることができた。久しぶりのことだった。

「それ以降わたしは日曜になると嶺くんの家に行くようになりました。多分、お母さんと丞子おばさんが話し合って決めたんだと思います。わたしは嶺くんの家に通うようになってからだんだんと元気になって、食事も睡眠もとれるようになりました」

「そうですか。それは良かったですね。嶺くんのお家ではいつもお話をしていたのですか」

「話もしますが、嶺くんの工作や絵を手伝うこともしました。嶺くんはいつも色んなことに挑戦して、わたしはそれに付き合いながら自分の世界が広がっていくのを感じていたんです」

里茉の表情が生き生きとしているので私は目を細めて頷いた。

「嶺くんは別れ際いつもわたしに紫色のものをくれました。シール、リボン、ペン、ラメの入った折り紙……、わたしはそのもらった紫のものを鍵つきの引き出しに入れて、ときどき眺めては元気をもらっていました」

「それが里茉ちゃんの宝物になったんですね」

「そうです。宝物がどんどん増えていって、好きなものが引き出しに埋まって行って、それはなんていうか、幸福がどんどん大きくなって、それが目に見える形でわかっていくような、そういう充足感がありました」

嶺の家に通ううちに、里茉は嶺の家庭環境にも惹かれていくようになった。嶺の両親は里茉の両親と違い過程を重んじていた。嶺が全力を尽くして物事に取り組んでさえいれば、勉強でも運動でもどんな分野でも嶺を認めて褒めていた。嶺のできないところではなくできたところを認めてやる取石家の両親を見て、里茉は世の中にこんな親もいるのかと大きな衝撃を受けた。

「嶺くんのところに行ってからは、里茉ちゃんはずっと元気な状態でいられたのでしょうか」

「はい。でも、わたしが中学校に入ってからは忙しくなって、嶺くんの家には行けなくなりました。日曜は学校と塾の課題をこなすので精一杯で、とても嶺くんの家に行く余裕はなかったです」

「年に二回、おばあさんのところで嶺くんと会うことは続いていたのでしょうか？」

「はい、それは続いていました。クラスの男子は中学生になると少しよそよそしくなりましたが、嶺くんは中学生になっても小学生の頃のまま変わらず優しくしてくれました。中学生になってからの嶺くんは、絵や工作よりも文章を書くことに夢中になっていました。わたしもときどき嶺くんの書いたものを見せてもらっていました」

　そして中学三年生の冬、里茉は高校受験に失敗した。落ちるのは確実でも父や兄と同じ高校を受けた方が体裁が良いということで、最初はその予定だったが、学校側の強い説得により自分の学力に見合った高校を受験した。それにもかかわらず不合格だった。そのことが里茉と家族との間に決して埋まらない溝を作ってしまった。

「お父さんとお兄ちゃんはわたしと口を利いてくれなくなりました。前まではわたしを馬鹿にして笑ったり、都合の悪いことは何でもわたしのせいにしたりしていたのに、高校受験に失敗してからはまるでわたしが空気か透明人間になったみたいに無視するんです。わたしがいくら話しかけても目も合わせなくて、聞こえないふりをして……。お母さんはわたしに言いたいことがあるときだけ口を利いてくれましたが、それは一方的な罵声であって会話ではありません……。わたしの声は家族の誰にも聞こえないんです」

かつて小学五年生のときにそうだったように、食事や睡眠が上手く取れなくなる日が始まったと里茉は言った。呼吸の仕方が分からなくなり、また家族の誰も口を利いてくれないので、言葉もだんだん忘れてしまうような気がしたという。

「公立高校に落ちたわたしは滑り止めだった私立高校に通うことになりました。大学は国立以外はだめだとお母さんが言うので特別進学コースに入りました。でもそこはとても厳しいところでした。周りの子はみんな頭が良くて、毎日授業と補講と課題があって、わたしにはとてもついていけなかったんです。何をやっても上手くいかないことが家でも学校でも続いて、高校一年の夏休み明けから、わたしは学校に行けなくなりました。もちろん塾もです」

そう言ってから里茉は一度言葉を切り、深く息を吐いた。ひょっとしたらもうこれ以上は喋ることはできないかもしれないと思ったが、里茉は深呼吸を何度かすると再び話を始めた。

「わたしが学校に行けなくなってから、嶺くんの家にわたしの部屋ができました。わたしの好きなときに嶺くんの家に行って、その部屋で過ごしていいんだと丞子おばさんが言ってくれました。物置を整理しただけで窓もない小さな部屋なんですが、それでもわたしはとても嬉しかった。この部屋を作るにあたってお母さんと丞子おばさんとの間に激しい喧嘩があったそうです。お父さんとお兄ちゃんがそう話していたのが聞こえました」

里茉は制服を着て、勉強道具と昼食を詰めた鞄《かばん》を持ち、自転車で嶺の家に通った。嶺がまだ学校にいるときは与えられた小部屋で勉強をし、嶺が帰ってくると嶺と話した。嶺は部活動をやらず塾にも通っていなかったので帰りは早かった。

「その頃嶺くんは小説を書くことに夢中になっていて、わたしはそれを読ませてもらっていました。現実離れした変な物語が多かったけどわたしは大好きだった。嶺くんの小説を読むと嶺くんの世界がわたしの中にも広がっていくんです。それが嬉しくて幸せでした。わたしが感想を言うと、嶺くんはとても喜んでいました」

里茉は嶺の小説を読んでから物語の世界に興味を持つようになった。本、映画、漫画、アニメ、様々な物語に触れるようになった。物語ひとつひとつに独自の宇宙が広がっていて、その宇宙の中で登場人物が生きている。登場人物ひとりひとりに人生がある。里茉はその登場人物が本当に生きていて、自分がそれに寄り添っているような気持ちになっていた。登場人物の心に触れて、元気になったり、笑ったり、悲しくなったり、憤ったりしていることがある。そしてそれは里茉の見る現実にも反映されるようになった。物語の登場人物から勇気や希望をもらっていることに気がついたのだった。

「それを話すと嶺くんはとても喜んでくれて、そうだよ物語には力があるんだよって同意してくれました。でも、お母さんは学校に行かず物語を読むわたしを現実逃避だと言って厳しく責めました。それを聞くと嶺くんは珍しく怖い顔で怒りました。物語は逃避じゃない、人が生きるための力を与えてくれる宝物みたいなものだ、現実のために物語はあるんだって。あんなに真剣な顔の嶺くんは初めて見たな……」

高校一年の秋、嶺は里茉に紙の束を渡した。これは嶺が里茉のために書いた小説だという。嶺はこう告げた。

「これは里茉のことを考えながら書いた物語だ。里茉が孤独だと感じたときに光になるような、里茉が立ち上がれないと感じたとき力になるような、そんな物語になるように祈りながら書いた。里茉が辛いと感じたとき、菖子が傍に寄り添ってくれるようにと願いながら書いた。何をやってもそこそこのぼくだけど、これだけはそうならないように全力以上の力を注いだ」

嶺は真っ直ぐな瞳で里茉に言った。その瞳は子供の頃から変わらない輝きを放っていた。里茉は子供の頃からずっとこの輝きが大好きなのだった。

嶺の書いた物語の主人公の名前は菖子といった。時は明治、父を亡くした菖子が正体不明の異形の存在に翻弄されながら苦難を乗り越えていく小説だった。菖子は気が強いが明るく、そしてお転婆だった。里茉とは正反対の存在だ。しかしよく失敗する十七歳の少女だということは似ていた。菖子は失敗しても挑戦することを諦めなかった。周囲から辛い目に遭わされ涙することがあっても覚悟を決めて立ち向かった。こんな子が友達にいたら勇気を貰えるのだろうか。里茉は嶺の小説を幾度となく読み返し、そう考えた。

「嶺くんの家に通うようになってから、わたしは学校にも行けるようになりました。毎日じゃないけれど、それでも単位は取って進級できるぐらいにはなっていました。そしてわたしは高校二年生になりました」

そこまで話すと、里茉は俯き黙り込んでしまった。瞼は強く閉じられ、膝の上で握られた拳は震えている。私は里茉に話の続きを急《せ》かすことは決してしなかった。里茉の心を絶対に傷つけることがないよう、私は吐く息ひとつにも注意を払った。里茉を見守りながら、私は精神科医から与えられていた里茉の情報を頭の中で反芻《はんすう》していた。

取石嶺、里茉のいとこ。里茉が高校二年生の秋にインフルエンザの二次感染による肺炎で死亡。十八歳で永眠。

里茉の体調を鑑みて今日のミーティングはこれで切り上げることにした。私が囁くような声でそう言うと、里茉は静かに頷いた。里茉の鼻を啜るような音が一回、カウンセリングルームに響く。途端にその音はすすり泣きに変わり、しまいには大泣きに変わった。高校生の女の子が子供のようにわあわあ泣きじゃくっている。

嶺くん、嶺くん、と幾度となく呼び続ける里茉の泣き声を私はずっと聞き続けた。

次回のカウンセリングに里茉は来ないかと思われたが、ちゃんと来た。私は安堵しつつ組んだ計画通りにカウンセリングを進めようとしたが、里茉は突然こう言ったのである。

「明治も終わりの頃である。先代の竜胆が亡くなり、娘が後を継ぐというので……」

私は戸惑った。しかし里茉の話を遮ってはいけないと思い、そのまま傾聴を続けた。聞いているうちに、これはどうやら嶺が里茉に書いた例の小説らしいということがわかった。里茉は何かに取りつかれたように嶺の小説を語り続けている。しかしそれは私に言い聞かせるというよりは、まるで自分に言い聞かせるかのようであった。手元に例の小説はない。思い出そうとしているのか、里茉はところどころつかえながら物語を紡いだ。

このまま時間が来て、一回目のカウンセリングは終わった。嶺の物語も途中で中断された。録音データには五五分一二秒と表示されていた。

私は里茉を傷つけないよう言った。

「里茉ちゃん。今日話してくれたのって嶺くんが里茉ちゃんのために書いた小説だよね。よかったらでいいんだけど、私も読みたいから次回持ってきてくれませんか。コピーをしてすぐに返すから」

しかし私の提案に里茉は首を左右に振った。拒否である。

二回目のカウンセリングで里茉は物語の続きを話し始めた。里茉は物語をやめる気配がない。私は傾聴を続けたものの、正直困惑していた。これではカウンセリングができない。しかし何か鬼気迫るものを感じた私は、里茉が最後まで物語を紡ぐのを見届けることにした。計画はその後また組み直せばよい。里茉の心の方が大事である。

そしてカウンセリングの回数は進み、里茉の物語も終盤かと思われた頃である。菖子の母梗子が異界へと帰り、菖子が無念のあまり膝を折ってしまった場面に入った。

「嗚呼。もうわたしにできることはない。もう何も考えが浮かばない。あとはあなたが何とかしてください、堀出さん」

里茉はそう言い、口を噤んでしまったのである。

里茉の口を通して竜胆からこの先を何とかしてほしいと頼まれた私は、まずは状況を確認することにした。

私たちが今ここにいるのは松の木の立つ庭である。縁側には八十椿《やそつばき》が座り、松の木の前には母親を救えず膝を折った竜胆がいる。下男の檜葉、立山、白樺の三人、もとい、黒猫のネロオ、金糸雀のクレイ、ワアドは天寿を全うし、飼い主であった梗子と共におかとときの住まう向こう側へと行ってしまった。離れでは藤潜《ふじくぐり》が膝を抱えて怯えている。先代の竜胆の目的はおかとときの主を殺し梗子を取り返すことであった。しかしそれは失敗に終わった。文に同封されていた先代の依り代を竜胆が燃やしてしまったからである。

この依り代がもしかしたら燃えずに残っているかもしれない。

私は縁側に上がりその先にある大広間の宴会場に入った。この場所で竜胆は八十椿の策略により先代の文と依り代を燃やしてしまった。

果たして件《くだん》の長火鉢は大広間の片隅にあった。鉄瓶と湯呑《ゆのみ》と燐寸、以前見た通りである。

「先代の依り代はこの火鉢で焼かれました。運よく破片の一枚でも消し炭の中から出てくることはあるでしょうか？」

私ははっきりとした声で尋ねた。

それから待つこと数十秒。里茉が答えた。

火鉢の中を覗くとそこにあるのは灰の山だけであった。炭すらもない。消し炭などとうの昔に誰かが片付けてしまったのである。私の目論見《もくろみ》は外れた。

次に私は道具部屋へと向かった。ここは梗子の掛け軸と鏡が仕舞ってあった場所である。下から二段目の引き出しを引き抜く。掛け軸と鏡は隠し箱ごと既に竜胆の部屋に移されていたが、他に何かがないとも言い切れない。

「ひょっとして、この場所に他にも細工があって、その中から予備の依り代が出てくることがあるのではないでしょうか？」

私は再びはっきりとした声で尋ねた。

やはり数十秒の沈黙ののち、この提案は里茉によって却下された。

私が引き出しを逆さにしたり力を加えたりしても何かが起きることもなかった。私は次にこう尋ねた。

「他の引き出しに細工があって、そこから先代の秘密の仕事道具が出てくることがあるのではないでしょうか？」

しかしこれも違うようだった。

道具部屋にある箪笥や行李《こうり》などをいくら調べてもそれらしいものは何も出てこないの

であった。

次に私が向かったのは商物の三人が寝起きする離れである。

私が襖をやや乱暴に開くと、押し入れの奥で悲鳴が聞こえた。藤潜の声である。私が真っ直ぐに押し入れに向かい戸を開くと、膝を抱えて小さくなっている藤潜がそこにいた。気の毒な藤潜は現在何が起きているのか一切分からないのであった。恐怖のあまり顔を上げることすらしない藤潜に向かって私は尋ねた。

「藤潜、私はこの物語におけるあなたの存在がとても気になっています。惜菫《せきすみれ》は向こう側へ行った。八十椿は腕を奪われ文を燃やした。下男の三人は任務を終えた。しかし藤潜、あなただけがこの物語の中ではおかとときとの目立った接触がありません。ひょっとして、この先の物語に深く関わるのはあなたではないですか？　この先の物語を大きく展開させる役割を担っているのではないですか？」

私がそう尋ねると藤潜は押し入れの中の布団に顔を埋めた。震える身体から絞り出される声は蚊の鳴く声よりも小さい。

「何を言っているのかまるでわからない。俺は何もしらない。本当に何もない」

私は暫く里茉の判断を待ったが、藤潜はこれ以上何も言わなかった。彼の言うことは本当のようである。私は困り果てて頭を掻き、ついでに指を滑らせて髪を梳《す》いた。これは私の癖である。

髪を手櫛《てぐし》で梳きながら私は考え続けた。どうも私は里茉の口から紡がれる物語に違和感を覚えるのである。嶺が書いたというこの物語だが、聞いていてどうも歪だ。それは例えばこの藤潜にも表れている。藤潜だけがこの物語の中でおかとときとの目立った接触がない。見せ場のない登場人物をわざわざ物語の中に出す必要などないではないか。

主人公の竜胆にしたって、里茉の支えになるように作られた不屈の設定である彼女が、心折られ打ちひしがれているのも不自然である。嶺ならばこんな展開にはしないのではあるまいか。

髪を梳く私の指がふと止まった。あるひとつの思い付きが私の中を駆け巡った。私は急いで大広間の宴会場へ戻った。私がその畳に足を踏み入れたときには、ひとつの思い付きは既にひとつの確信へと変わっていた。

縁側には八十椿が腰を下ろしている。

この物語は里茉のために嶺によって贈られたものだ。嶺は里茉を思い、里茉の支えになるよう祈りながら書いたという。嶺が初めて里茉に贈ったものは紫色のビー玉だった。それ以降会うたびに嶺は里茉の好きな紫のものを贈り続けた。里茉の口からこの物語を聞かされた私の内に広がるのは紫の色だった。登場人物の名は竜胆、菖蒲《しょうぶ》、菫《すみれ》、藤、桔梗、いずれも美しい紫の花だ。しかし咲き乱れる紫の花の中でひときわ異彩を放つ赤い花がある。思えば私はそこにも引っかかりを覚えていたのだった。この花だけがこの物語の中に馴染めずくっきりと浮き上がっている。

私は縁側に腰を下ろし、物語の中で花開く赤い色と対峙する。八十椿の視線と私の視線がぶつかるように合った。

「ひょっとして、あなたは嶺くんの書いた物語にはいないのではないですか」

八十椿が目を見開いた。

「あなたは嶺くんの物語に里茉ちゃんが独自に取り入れた登場人物ですね。藤潜の存在が宙に浮いているのは、あなたが藤潜の役割を奪ってしまったからではないですか」

八十椿は目に見えて狼狽えていた。

「カウンセラーである私が傾聴せずに長々と話すのは良くないのですが……。私がずっと聞かされてきたのは嶺くんの物語ではなく、里茉ちゃんの思考実験なのではないでしょうか。里茉ちゃんは何か思うところがあって、八十椿というキャラクターを嶺くんの物語に入れた。それによって何らかの答えを得たかった。だけど里茉ちゃんはその思考実験に行き詰まってしまった。だから聞き手である私に助けを求めた。そういうことではないですか」

私はそれだけ言うと言葉を切った。里茉の反応を待ったのである。

暫く経つこと数十秒、里茉は八十椿を喋らせた。

「そうです。ぼくは本来の物語にはいません。本来、絵双六で左腕を取られてしまうのはぼくではなく藤潜でした」

「文を燃やす役割も藤潜が担っていたのですか」

「いいえ。本来の物語では文は燃えずに無事に竜胆の手に渡ることになっていました。藤潜も腕を取られたけれど竜胆の機転で取り戻されます。惜董は竜胆の働きにより向こう側には行かずにこちら側で夫婦になります。竜胆の咲く頃、梗子がこちら側に来て、それを追いかけてきた主は依り代の力で絶命します。梗子は所有が解け自由となり、主を失ったおかとときも力を失い、それにより惜董と藤潜の所有も解け晴れて自由の身になります。これは幸福に溢れた物語です」

「幸福に溢れた物語だったのに、あなたは文を燃やして物語を大きく変えてしまったのですね。それはどうしてなのでしょうか。竜胆が失敗する姿を見たいとは言っていましたが……」

　八十椿は一旦黙った。そして伏し目がちに言った。

「それは、竜胆を信じていたから……。竜胆ならこういうときどうするんだろうって、知りたかったから……」

　私は少し考えた。

成績のことで子供の頃から家族に謗《そし》られてきた里茉は見ようによっては失敗続きであるかもしれない。高校受験は確かに失敗している。しかし果たしてそれだけであろうか。私はどうにもその奥に本当の理由があるのではないかという気がしてならなかった。八十椿の悲しそうな瞳の奥に里茉の大切に抱えている真実が煌《きら》めいている。私はその悲しい光を取り出してやらなければいけない気がする。

「この物語の続きを紡ぐのはやはり私ではなく里茉ちゃんです。里茉ちゃんが何に対して答えを得たいと思っているのか分からないけれど、竜胆と二人でそれを突き止めて物語を紡ぐべきだと思います」

八十椿が静かに顔を上げて私の顔を見た。彼の瞳の奥にはやはり里茉の悲しい煌めきが宿っているように思う。私はゆっくりと頷き、彼に言葉を贈る代わりに微笑んだ。

庭には絶望に打ちひしがれ膝を折った竜胆がいる。私は縁側から降り庭へ駆けた。私は竜胆の目の前でしゃがみ、彼女を真っ直ぐに見据えた。

「竜胆、あなたは失敗をしても次の手を考える、前向きな性分だと聞いています。でも、今のあなたは全然らしくない」

俯いていた竜胆が静かに顔を上げた。何とも情けなく弱弱しい顔をしている。嶺が描いていた竜胆の乙女は恐らくこんな表情はしないであろう。

「今のわたし、らしくないかしら……」

「全然らしくないですよ。そんなの本当のあなたじゃない。思い出して、あなたがどういう想いの下に生まれてきたのかを。あなたは絶望するために生まれてきたんじゃない。孤独だと感じたときに光になるような、立ち上がれないと感じたとき力になるような、そんな祈りの下に生まれてきたはずでしょう」

里茉が小さく息を吸う声が聞こえた。

どれだけ深く傷ついても里茉が嶺を想う気持ちは変わらない。思考実験とはいえ竜胆の膝を折らせてしまうことが嶺の気持ちを踏みにじる行為だということに里茉が気付かないはずはなかった。

少しの沈黙の後、里茉が小さな声で嶺の名を呟くのが聞こえた。何度も何度も呟いた後、里茉は竜胆を動かした。

マガレイトの艶やかな髪がさらりと揺れた。竜胆の顔は今や俯くのをやめ前を向いていた。絶望に濡れていた瞳に少しずつ光が宿る。嶺の込めた切実な願いがその瞳の中で輝き始めた。

「そうだわ、ごめんなさい。こんなの全然わたしらしくなかったわね」

竜胆は静かに立ち上がった。その背筋は何の迷いもなく真っ直ぐに伸びていた。

「わたしにできることはない、もう何も考えが浮かばない、こんな気弱なことを言ったことをどうか忘れて頂戴。失敗したからって終わりじゃない。わたし達にできることはまだあるわ。行きましょう」

竜胆の口元には勝気な笑みが浮かんだ。頼もしい表情だった。里茉の中で竜胆が輝きを取り戻したのだ。物語は再び動き始める。

「お母様は向こう側に行ってしまった。ならばわたし達もそれを追いかけるまでよ。お父様の悲願、何としても成し遂げてみせる。八十椿、わたしはあなたが抱える大きな秘密も向こう側にあるような気がするの。向こう側に行けば、わたしは本当のあなたに会えるような気がするわ」

「でも、向こう側へ行くって一体どうやるんです」

私がそう言い終わらないうちに、喉の奥から何かがせり上がってきたのを感じた。私は慌てて口をきつく結ぶが、それは私の歯列を割り、唇を無理にこじ開けてゆっくりと這い出てきた。私の口から「里茉」という二文字が出て、液体状の生き物のようにどろりと庭に滴ったのである。「里茉」という文字は地面を張って松の木の根本に向かってゆっくりと這っていく。その動きは蛞蝓《なめくじ》の姿に似ていた。

これはいつか見た惜菫のときと同じであった。私はおかとときに言葉を辿られたのだ。それから私は何度か吐くような咳をした。すると、新たに五匹の「里茉」という文字が私の口から滴り落ちた。どうやら私はこれまでに里茉の名を六度口にしたらしい。計六匹の「里茉」という文字がゆっくりと松の木の根本に這い集まったとき、それは起こった。

——探したわよ里茉。そんなところにいたのね。

夜の薄皮を一枚剝がしておかとときの腕が一本すっとこちらに伸びた。

途端に辺りの空気は冷え私たちの背中に悪寒が走った。腕は迷うことなく八十椿に向かって、しかしどういうわけか里茉の名前を呼びながら伸びてくる。ひょっとすると、八十椿は里茉を投影した姿、所謂《いわゆる》アバター的な役割も兼ねているのかもしれなかった。

恐怖で震える八十椿の袖を竜胆が摑んだ。

「大丈夫よ、八十椿。あなたを一人で行かせるなんてことはしないわ。まずはあなたを所有しているおかとときのところへ行きましょう。お母様のことはその次にするわ」

竜胆は自分の袖を八十椿に握らせた。互いの袖を決して離さぬことを固く約束し、竜胆がおかとときの腕に向かって叫んだ。

「お客様、遠いところからよくいらっしゃいました。お迎えに上がらずたいへん申し訳ございません。わたくしはこの屋敷の主、竜胆でございます」

――お前が誰だってあたしには関係のないことだわ。あたしは里茉を引き取りに来ただけ。さあ里茉、あたしと帰るのよ。

「勿論《もちろん》でございますお客様、この者はすぐにお返し致します。しかしわたくしの過失により、この者の左腕は他のお客様に取られてしまいました。つきましては、わたくしがこの者の左腕の代わりとして付き添わせていただきます」

――ごちゃごちゃとうるさいわね。何でもいいわ、さっさとこっちに帰って来なさい！

おかとときの腕が急に膨らんで私たちの身体を囲った。腕は糸巻のように幾重にも私たちの身体を巻いてそのまま夜の裏側へと引き込んだ。

途端に視界に黒と紫の靄と光の粒が降りてきた。紫の靄が煙のように私たちの身体に纏わりつく。梗子から聞かされた通りの光景である。おかとときの腕は私たちの身体を解放し、そこからは私たちを歩かせた。先頭に立つおかとときは膨張と縮小を繰り返している。その後をついて歩くのは、約束通り互いの袖を離さない竜胆と八十椿、その左右と後ろに列を成すおかとときの行列であった。おかとときに囲まれて私たちは狐の嫁入りのごとく歩いた。

紫の靄の中で光の瞬きが繰り返されるのを見ていると、随分と黒が濃くなってきたなと思う瞬間が訪れた。その矢先、全身が水面に強く叩きつけられたときのような大きな揺さぶりが私たちを襲った。己の身体が粉々に打ち砕かれているのを感じ、私たちは息も絶え絶えの中浮遊した。浮遊しているのは意識なのか肉体なのか判断がつかなかった。ただ確かに私たちの身体は粉であった。

それから痛いほどの閃光が私たちの身体を突き刺し、もう肉体も精神もなく無になったと感じたとき、私たちはおかとときの住まう奥の世界にいた。私たちは粉から竜胆、八十椿、私に戻っていた。竜胆と八十椿はそのときも互いの袖を離していなかった。

上も下もなく東も西もないというのがおかとときの住まう世界のはずであった。少なくとも藤潜はそう言っていた。しかし私たちが今いるのはどう見ても違う。

アイボリーの壁、本棚、学習机、ベッド、そこに並ぶ申し訳程度のぬいぐるみ。厚手のカーテンはかたく閉ざされており、その表面は仄白《ほのじろ》く光っている。薄暗い学習机の上に置かれているのは開きかけの数学の参考書とノート、私たちが身じろぎをした弾みで参考書はぱたんと閉じ、「三年一組　枝園里茉」の文字が見えた。

「これがおかとときの住まう世界なの。想像していたのと随分違うのね」

竜胆が上下左右見回して言った。

「これはぼくを所有するおかとときの住まう場所だから、藤潜の連れて来られた場所とは違うんだと思う」

八十椿はそう言ってちらりと左の足の裏側を見た。そこにはおかとときの所有の徴が確かにあり、血のような赤い文字で「枝園」と刻まれていた。

私たちは警戒して辺りを見回したが、この部屋におかときはいないようだった。

八十椿の左腕は依然として饂飩《うどん》のようにだらりと垂れ下がっている。左腕の動かない八十椿は右腕で竜胆の左袖を掴んでいた。そして竜胆は左腕で八十椿の右袖を掴んでいた。遠目に見ると一頭の蝶のようである。

八十椿が学習机の方へ行くと袖を掴んでいる竜胆もそれについていく。八十椿は竜胆に引き出しを開けるよう頼んだ。右腕は竜胆の袖を掴んでいるためにどちらの手も使えないのである。

「どの引き出しを開けたら良いの」

引き出しは全部で三段あった。八十椿が上から順に開けてほしいと言ったので、竜胆は素直に一番上の引き出しを開けた。ビー玉、シール、リボン、ペンなどが溢れんばかりに入っている。

「これらはぼくの宝物なんだ。大切な人がぼくのために選んで贈ってくれたものだよ」

「すべて紫色なのね。あなたのために選んだというのなら、あなたは紫が好きだということね。わたしはずっと、あなたは赤が好きなんだと思っていたわ。椿の色、金平糖の色、いずれも鮮やかな赤い色だったから」

「そうだね。でも、ぼくが赤が好きだというのもあながち嘘じゃないんだよ。今では紫と同じくらい好きな色かもしれないな」

　八十椿は竜胆にビー玉を手に取ってよく見せてほしいとせがんだ。竜胆の白い指の中で紫色の硝子玉が宝石のように尊い光を放つ。

「彼に会いたくなったとき、会えなくて苦しいとき。ぼくはこの引き出しを開けてこれらを眺めるんだ。彼がくれたときのことをひとつひとつ思い出して、記憶の中の彼と出会うんだ」

「お父様がお母様の鏡を大切にしていたのに似ているわ」

「そうかもしれないね」

「ねえ、この宝物を使ったら、八十椿の大切な人に会いに行けるのじゃないかしら。お父様のように、持ち主のところまで場所を辿ることができるかもしれなくてよ」

「それができたらどれだけ素敵だろうね。だけどそれは叶わないんだ。だって彼……嶺くんは、もうこの世にいないんだから」

　紫のビー玉は竜胆の手の中にきつく仕舞われて見えなくなった。

「ごめんなさい、わたし無神経なことを言ったわ……」

「大丈夫、ぼくは何とも思っていないよ。だって嶺くんがこの世にいないのは絶対に覆らない事実なんだから……」

　次に八十椿は二段目の引き出しを開けるよう竜胆に頼んだ。二段目には三十枚程度の紙が入っていた。竜胆がこれを手に取ってしげしげと眺める。

「これは嶺くんがぼくのために書いてくれた小説だよ。これはぼくにとってはいちばんの宝物だ。さっきの引き出しよりもずっとずっと大切な宝物だ。ぼくは嬉しくてこれを幾度となく読んだものだ」

「そうなの。随分と短い物語なのね。童話かしら」

竜胆がそう言ったのも無理はなかった。私が聞かされた限りではとても長い物語だったというのに、竜胆が手にした嶺の原稿はたったの三十枚程度しかないのである。不思議に思った私が隣から覗き込むと、ページ番号は飛び飛びで、肝心の用紙も土埃《つちぼこり》や何かの染みで汚れており、お世辞にも保存状態は良いとは言えなかった。

この違和感は竜胆も抱いたらしかった。しかし指摘できずに口を固く閉ざしている。

「いちばんの宝物だという割には大切に扱われていないことをきみは不思議に思っているんだろう。そうだね、嶺くんの小説はほとんどが失われてしまった。残っているものだって酷く汚れてしまっている。酷い扱いだよね。でもそれはぼくだって口惜しいんだよ」

そこまで言ったとき、ドアの向こうから物音がした。誰かが階段を上ってくる足音だった。それを聞くと八十椿はさっと顔色を変え、竜胆の袖を強く握った。

「お願い、ぼくの袖を絶対に離さないで。ぼくから絶対に離れないで。ぼくを一人にしないで」

　瞬間、突風で壊れたようにドアが乱暴に開き一人のおかとときがなだれ込んできた。

——いい加減にして里茉。いつまでこうしているつもりなの。辛いのはあなただけじゃないのよ。あなた一人のせいで家族みんなが苦しんでいるのがわからないの。あたしもう、責められるのはたくさんなの！

　おかとときは膨張し台風のごとく部屋を荒らした。衣服を床に叩きつけ、机の上にあるもの、教科書、参考書、ノート、鏡、カレンダー、全てをつかんで床に叩き落とした。

——あんたは学校にも行かない、家事を手伝うわけでもない、なのに何なの。一体何をにやにやしてわけのわかんないもの読んで楽しそうにしてるのよ。本当に、本当にねえ、いい加減にしなさいよ。里茉！

　そう言うとおかとときは竜胆の手の中にある嶺の小説をひったくった。竜胆は身を乗り出し原稿を守ろうとしたが、八十椿がそれを引き止めた。彼の顔と声は恐怖でぐしゃぐしゃに歪んでいた。

「行かないで竜胆。怖い。怖いんだよ、お願い、ぼくの傍から離れないで。ぼくの近くにいて」

「でもそうしたら八十椿の宝物が」

「それでもぼくの近くにいて。お願いぼくを一人にしないで。もうあれはだめだから。

もうわかっているから」

厚いカーテンが乱暴に開かれその拍子にいくつか留め具が外れて飛んだ。三十枚程度しかない嶺の小説は憎しみを込めて窓から投げ捨てられた。窓から小説を投げ捨てたおかとときはいくらか肩で呼吸をしていたが、そのうちにじっくりと霧散して消えていった。嵐が去った後の部屋には疲労と沈黙が残っていた。

八十椿はすがるように竜胆の袖を握りしめ、しきりに震えていた。竜胆は八十椿の背中を撫でつつ言った。

「大丈夫よ八十椿、おかとときは行ってしまったわ。見て、わたしはあなたの袖を離していないわ。あなたの傍には確かにわたしがいたわ。さあゆっくり息を吸って、それから静かに吐いて。大丈夫よ、わたしを信じて」

八十椿は震えながら竜胆の声に従って呼吸を整えていた。八十椿の気持ちがやっと落ち着いた頃、二人はゆっくりと立ち上がり窓から外を覗き込んだ。

外は雪が降っていた。細かく白い雪がくるくる舞って静かに落ちる。しかしよく目を凝らして見るとそれは雪ではない。さっき投げ捨てられた嶺の小説だった。細かく裂かれた嶺の物語が雪のように庭に散り積もっていく。

私はその光景を眺めながら、このおかとときの住まう世界が里茉の部屋で起きたことの再現であることを確信した。

実は里茉の三回目のカウンセリングが終わった後、私は里茉の母、琴子に嶺の小説のコピーが手に入らないか打診したのだった。里茉には断られてしまったが琴子を通して何とか手に入れられないかと思ったのである。

しかし琴子はそれを聞くなり顔色を変えた。それから暫しの沈黙の後、歯切れ悪く、自分が窓から投げ捨ててしまったからそれはできない、と静かに告げた。驚く私を前に琴子は続けた。

里茉が受験に失敗した上に不登校になり、旦那から義母から嫌味を言われ、そして郷人の同級生の母親から好奇の目で見られ、琴子は肩身の狭い毎日を送っていた。学校の先生に相談しても、母親である琴子がもっと努力する必要があると言われるだけであった。琴子は既に努力していた。里茉が少しでも学校に行けるよう、里茉を傷つけないよう、明るく声をかけ、プレッシャーを与えるようなことは言わないようにしていた。それなのに事態は改善せず、更なる努力を周囲から強いられる。出口の見えない日々に琴子の精神は擦り切れ、すっかり消耗しきっていた。

ある冬の日のことである。洗濯物を届けようと里茉の部屋に入ると、里茉は何かを読んでいた。見たことのない紙の束であった。そのときの里茉の姿が琴子には随分と楽しげに映った。学校にも行かず勉強もせず家事も手伝わず、面白そうに何かを読み耽《ふけ》っている、そんな里茉の姿を見て自分の中で何かがぷつんと切れる音がした。琴子はそう言った。

琴子の理性はどこかに飛んでしまった。届けに来たはずの里茉の洗濯物を床に叩きつけ、里茉の部屋にあるものを片っ端から手に持って投げた。教科書、参考書、ノート、鏡、カレンダー。これらを床に、壁に、家具に、ひょっとしたら里茉自身にも、力の限り投げつけた。

最後に琴子は里茉の手から強引に紙の束を奪い、窓を開けて思い切り放り投げた。大粒の雪の降る中、紙片が二階の窓から風に舞った。その日は運悪く風の強い日であった。大きめの雪の粒のように、白い紙は寒空の下思い思いに飛んで行く。

里茉は絶叫に近い悲鳴を上げ、狂ったように部屋を飛び出した。大人しい里茉からはおよそ聞いたことのない悲鳴だったので、はっと琴子は我に返った。恐る恐る窓から見下ろすと、半狂乱の里茉が雪の積もる庭を這いずり回り、散った紙片を両手でかき集めていた。ただならぬ娘の様子に、琴子は己がとんでもないことをしてしまったのではないかと思い始めた。

後日、琴子が投げ捨てたものが亡くなった嶺の書いた小説であると知った。取り返しのつかないことをしてしまったと琴子は愕然《がくぜん》とした。

結局、里茉が回収できた嶺の小説は三十枚と少しだった。それらは雪と泥のために濡れて汚れて皺が寄り、印刷まで溶けてしまったページもあった。酷い有様だった。それでも里茉は宝物のように大切に抱きしめていた。

琴子はそれから嶺の小説に手を出すことはなかったと私に告げたが、里茉からすればいつ再び琴子がそれを窓から投げ捨てるかと気が気ではなかったのだろう。里茉の想像上の琴子はおかとときと化し、三十枚の嶺の破片すら残酷にも捨ててしまった。里茉の名を呼びながら八十椿を迎えに来たおかとときも、この部屋で荒れ狂うおかとときも、すべて里茉の恐怖心が生み出した琴子の姿なのだった。

嶺の小説が降る空を見ながら八十椿が言った。

「ぼくは毎日ずっと怖かった。毎日ずっと苦しかった。それでも嶺くんがいたから何とか生きてこられた。嶺くんはぼくのすべてだった。だけど、嶺くんはあっけなく死んでしまった。人って突然、それも簡単に死んでしまうんだ」

「知っているわ」

竜胆が八十椿に言った。

「正直ね、今も実感がわかないんだ。嶺くんの遺体にも会ったし、葬儀にも行ったけれど、夢の中の出来事みたいだった。小さな箱に入った骨を見て、冷たい石のお墓を見て、どうしてそれが嶺くんだって思えるんだろう。嶺くんの死は急にぼくのところにやってきて、ぼくと対峙しないまま、ぼくを飛び越えてどこか遠くへ行ってしまった」

袖を握る八十椿の拳が震え始めた。

「嶺くんがいなくなっても時間は進み続ける。ぼくは嶺くんのいない毎日を、嶺くんからもらった宝物で埋めて何とかやり過ごしていた。でもぼくだってばかじゃない。ぼくは嶺くんの死を受け入れなくてはならないし、乗り越えなくてはいけない。ちゃんと気付いていたんだ。だけどどうしたらいいのかと思っていたところに、お母……おかときに嶺くんの小説を窓から捨てられてしまった。死にもの狂いで拾い集めたよ。だけどどう頑張っても三十枚前後しか集められなかった。その残りだって今、捨てられてしまった」

そこまで言うと八十椿は黙り込んでしまった。目は深く伏せられて、しかしぎりぎりのところで閉じられてはいなかった。彼の拳は未《いま》だに震えていて、それが怒りによるものなのか悲しみによるものなのかよくわからない。

竜胆は自分の袖を掴む拳と八十椿の横顔を静かに見つめていたが、程なくして口を開いた。

「ねえ八十椿。わたし、あなたがお父様の文を燃やした理由がわかったかもしれないわ。嶺さんの小説を捨てられてしまったあなたと、お父様の文を燃やされてしまったわたし。わたし達とてもよく似ているわ。あなたはわたしを自分と同じ境遇に立たせることで、わたしから答えを得ようとしていたのではないかしら。文を失ったわたしがこの困難をどう乗り越えるのかを見たかった。違うかしら？」

竜胆がとうとう核心に迫ったため、八十椿は息を短く吸った。それから静かに息を吐いて強く瞼を閉じた。彼は竜胆の推測を否定しなかった。

「あなたがひとりで抱えていた大きな秘密はそこにあったのね。大切な人を失くして、その人から託されたものも失くして、それは辛かったわね。苦しかったわね。あなたの気持ち、とてもよくわかるわ。わたしもお父様のことが大好きで、お亡くなり遊ばしたときは本当に辛かった。お父様からの文を失ったとき、涙を流すだけではやりきれない苦しみがあったわ。本当に、気が狂ってしまうかと思った」

「ぼくは本当にきみに酷いことをした」

八十椿が俯き唇を噛んだ。すると竜胆が激しく激昂《げきこう》して八十椿に吐き捨てた。

「そうよ、あなたはわたしに本当に酷いことをしたわ。わたしはお父様の死に目に会うことができなかったの。わたしに唯一残されたのは文だったのに、あなたは自分のためにそれを燃やしたのよ。わたし達境遇がよく似ているわ。だったら、あなたもわたしの苦しみがよくわかっているはずだわ。そうよね。それなのにあなたは、自分の目的のために残酷にもわたしの気持ちを踏みにじったのよ。本当に酷い人！　本当に本当に最低な人！」

竜胆は燃えるような目で八十椿を見据えた。その大きく黒い両の眼《め》には涙が滲んで揺らめいている。

八十椿は瞼を開いて竜胆の目をしっかりと見た。その目から強く烈しい怒りが立ち上るのを確かに見た。しかし瞳に浮かぶ涙は頼りなく悲しげであった。この涙は竜胆の激しい怒りよりも八十椿の心を大きく揺さぶった。

「本当にきみの言うとおりだ。ぼくには返す言葉がない。痛みを知る人間が、同じ痛みを他人に負わせようとするなんて、どうかしている」

八十椿は竜胆に向き合った。

「きみは文を台無しにしたぼくが憎いかい」

「憎いわ。心の底から憎いと思うわ！」

「きみもぼくにおかとときみたく酷いことをしたいと思っているかい」

「思うわ。おかとときのようにあなたに折檻して懲らしめてやりたいと心底思うわ！」

竜胆は涙混じりの声で叫んだ。

それから程なくして少女のすすり泣く声が響いた。それは竜胆の名を背負わされた乙女ではなく、父親を亡くした憐れな一人の少女の姿であった。

八十椿は項垂《うなだ》れていた。私もそれを黙って見ていた。

「だけどわたしはあなたに決して報復しない。あなたに報復するということは、あなたのことを考え続けるということ。あなたにいつ、どうやって、どんな方法でと憎しみを滾《たぎ》らせ思案することは、お父様よりもあなたのことをずっと考えてしまうことになる。お父様と過ごした日々よりも、あなたへの憎しみに身を焼かれる日々の方に時間を取られてしまうのなら、わたしはそれを選ばない。わたしはお父様が与えてくださった人生を憎しみに使うことはしない。わたしはわたしを愛してくださった人のために使う」

竜胆は顔を上げ、涙で濡れた目で八十椿を見た。決意に満ちた強い目であった。

「あなたは嶺さんの小説を奪ったおかとときが憎かったのね」

八十椿は静かに頷いた。

「そのおかとときに対して報復したいと思っていたのね」

八十椿は更に深く頷いた。

「わたしはあなたに答えを示したわ。では今度はあなたが答えを出す番よ」

八十椿は俯き苦し気に口を閉ざした。瞼を閉じて静かに深呼吸を繰り返した。それからややあって、とても小さな声で押し出すように言った。

「ぼくも報復はしない。憎む時間を捨てて、嶺くんを想うことに時間を費やす」

八十椿は確かに竜胆の答えを吸収した。これは決して竜胆の真似をしたわけではなかった。竜胆の言葉を、まるで水を飲んでその冷たさを知るように、薬を飲んでその苦さを知るように、竜胆の答えは彼の心の奥に深く落とし込まれた。

「嶺くんが過ごした温かな時間をぼくは決して忘れたくない。嶺くんと過ごしたときに覚えた優しい気持ち、心が柔らかくなって広がっていく感覚、世界が広がっていって少しずつ面白いものに感じられていく気配、自分がそこにいてもいいんだという実感、光と希望に満ちていた日々、それらをぼくは忘れたくない。絶望や憎しみに身を焦がすあまりこれらのことを忘れることは絶対にしたくない。ぼくは嶺くんから与えられたいかなるものも手放したくはない。嶺くんがいなくても、嶺くんの紡いだ言葉を失っても、ぼくはたくさんのものを嶺くんからもらった。ぼくの中に嶺くんは血肉となって確かに存在している。ぼくはそれを信じて生きていく。生きていける」

八十椿は自らの言葉を確かめるように言葉を紡いでいった。竜胆の答えを通して八十椿の中にも少しずつ光が灯《とも》りゆっくりと輝き始めた。それは嶺が物語を通して里茉に与えたかった輝きであった。

八十椿の表情と声が柔らかく解けていく。

「答えが見つかったのね」

八十椿は静かに頷いた。すると八十椿の右手に竜胆の手がそっと重ねられた。

竜胆にはもうあのときの燃え滾《たぎ》るような激しい怒りはなかった。葛藤の末に漸く答えを見つけた八十椿に対する労《いた》わりがあるのみだった。

「良かったわね。おめでとう」

竜胆は優しく微笑んだ。八十椿は再び頷き、そして静かに涙を零した。

「ありがとう竜胆、でもごめんなさい。ぼくは自分の答えを手に入れるためにたくさんきみを傷つけたし、何よりきみに甘えていた」

「過ぎたことだわ」

里茉は私の前で項垂れ泣いていた。

しかしふと顔を上げ、涙で濡れた目を私に向けた。何かを懇願するような目だった。私は勘付いて、背中を押すようにゆっくりと頷いた。

答えが見つかっても尚、里茉はまだこの物語を紡ぎたがっている。私は里茉が思うようにこの物語を終わらせても良いということ、そして私はそれに最後まで付き合うことを口に出して言った。里茉は私に礼を言うと、再び八十椿を動かした。

「ぼくは自分の目的のためにこの物語をめちゃくちゃにした。嶺くんの世界も傷つけたし、きみのことも傷つけてしまった。ぼくはきみに辛い思いをさせたいわけじゃなかったのに、思い出すのはきみの泣き顔ばかりだ。ぼくはこの物語をちゃんと幸福な方向で終わらせなくてはならない。嶺くんのためにも、きみのためにも。もっとも、これできみがぼくを許してくれるかはわからないけれど」

八十椿は竜胆の袖を離した。ここに来る前に決して離さないと固く約束した袖である。竜胆は驚いた顔をしたが、八十椿が同じようにしてくれと頼んだので同じように離した。

「大丈夫なの？」

「うん。ぼくはもうきみに守ってもらわなくても大丈夫だ」

そのときであった。再びドアの向こうから激しい足音が近づいてきたのである。私たちは咄嗟にクローゼットの中に身を隠した。クローゼットの扉が閉まるのとおかとときが飛び込んできたのは同時であった。

――里茉、あたしいつもあんたに繰り返し言っているわよね。洗面所のタオルは使ったあとにきちんと長さをそろえて整えなさいって！　またできてなかったわよ！　何べん言わせれば気が済むの！　受験も失敗するし学校も行けないしタオルの長さをそろえることすらできない！　それだけじゃないわ、いつも戸を閉めるのは台所と居間と洗面所だって言ってるわよね！　それ以外は常に開けておきなさいって言ってるわよね。なのにあんたはいつだって守れない。いつも何にもできやしない。いつも何かしらひとつ失敗して完璧にできた例《ためし》がない！　あんたは何一つあたしの言うことを守らない！　嶺のところに遊びに行くたびにどんどん気が緩んで馬鹿になっていく！

クローゼットの扉の向こうからおかとときの絶叫が聞こえてくる。声に交ざって物が投げつけられる音がした。私たちは息を潜めながらおかとときが去るのを待っていた。

しかし一向に去る気配がなく、クローゼットの扉の木目をじっと見つめることしかできなかった。

「こうしていると、嶺くんの家に初めて行った日のことを思い出すな。あの日、天井の模様を見つめていると、面白いものが見られるって嶺くんが教えてくれたんだ。言う通りにすると急に天井の模様が動き出してね、あれは凄い経験だったな……」

八十椿がふと言った。私たちの目の前には木目が広がるばかりである。竜胆が小さな声で言った。

「じゃあ、この木目もいつか動き出すのかしら……」

何の変哲もない木の模様、上から下にかけて水紋のような広がりを見せるものもあれば、いくつもの縦線が真っ直ぐ伸びているものもある。

果たして、そのときは来たのである。

木目は静かにゆっくりと動き始めた。幻だと分かるような歪さと粗さを伴い木目は何かの形に変貌しようとしている。

「何かしらこれは……いくつにも真っ直ぐに伸びた平行の線……。これはまるで葉脈だわ。真っ直ぐに伸びた葉がいくつもいくつも増えていくようだわ……」

私の見ているものは竜胆の見えているものと全く同じであった。恐らく八十椿もそうであったに違いない。刺さるように真っ直ぐ伸びた平行の葉がみるみるうちに増えていく。茶色であるはずの木目が青々とした緑に見えてくる。

「ああ、わたしはこれをよく知っている……。これはわたしの植物だわ……」

竜胆がぽつりと言った。思い出の蓋を開けてしまった人間特有の、独り言に似た静かな声であった。

「わたしは秋の生まれなの。けれどわたしの名前はどういうわけか五月の植物からつけられたわ。そう、菖蒲は五月の植物よ。不思議に思ってお父様に尋ねたことがあるの。するとお父様は、わたしの名前は菖蒲の葉から来ているのだと教えてくださった。菖蒲の葉は魔除《まよ》けだから、菖蒲の葉がわたしを守ってくれるようにと。東京の家では毎年端午の節句を祝っていたわ。下女は男児じゃあるまいしと呆れていたけれど、今思えばあれは、おかとときがわたしを連れて行かないようにというお父様の祈りがこめられていたんだわ」

竜胆の言葉に反応するように平行の葉はしっかりとした形に変わっていく。

「嶺さんの想いがあなたの血肉になっているように、お父様の想いもわたしの血肉になっている。わたしの名前には、菖蒲のように強く魔を祓《はら》えるような人間になれるように、おかとときに負けぬようにというお父様の想いが込められている……」

竜胆は木目から変わった平行脈の葉の束に手を伸ばした。

「この植物はそう、菖蒲」

竜胆の白い手が葉の束の形を強く掴んだ。すると葉の形はしっかりとした菖蒲そのものに変貌を遂げ、竜胆の手の中で輝いた。生命の輝きであった。その葉は青々としてとても瑞々《みずみず》しく、特有の薫りを強く放っていた。

瞬間、クローゼットの扉が強引に開かれた。破壊されたと言った方が良いかもしれなかった。私たちの目の前には激昂したおかとときの姿があった。

——見つけたわ、里茉。そんなところに隠れてどういうつもりなの。自分は被害者ですってアピールするのはやめろって言っているでしょう。あんたそんなにあたしを加害者にしたいの。馬鹿にするのもいい加減にしなさいよ！

炎のように激しく揺らめくおかとときの影が八十椿の左腕を掴んだ。腕は激しく上部に引っ張り上げられ、八十椿の身体は振り子のように揺れた。

竜胆はそれを見るなり腹を括り、右足を前に出しぐっと地を踏みしめた。そして強く歯を噛むと、右の手に握った菖蒲の葉束で勢いよくおかとときの身体に斬り込んだ。

そう、その葉は長く真っ直ぐに伸び、先は鋭く突き刺すように尖っていた。その姿形はまさに刀であった。竜胆の手の中で菖蒲の葉束は変化を続け、今や切っ先鋭い日本刀に変わっていたのであった。

竜胆の刃はおかとときを深く切り裂き、おかとときは霧散した。

部屋に残ったのはおかとときの絶叫と大量の桔梗の花びらであった。八十椿の身体と床にまるで血痕のように桔梗の花びらがついている。

刀を鞘《さや》に収めた竜胆が八十椿に駆け寄った。八十椿は半ば放心し、その肩にかかった桔梗の血痕がさらさらと落ちていく。

「驚いた顔をしているわね。でも一番驚いているのはわたしだわ。嗚呼、こんなことができるのだったら、絵双六のときも花かるたのときも遠慮なく斬り捨ててやるのだったのに」

竜胆は悪戯《いたずら》っぽく微笑むと、改めて手の中の日本刀を見つめた。菖蒲は今や黒く美しい刀へと変貌を遂げていた。鞘には菖蒲の花の模様が刻印されている。

嶺の物語にはない展開であった。そもそも嶺の物語では誰もおかとときの住まう場所には行かなかったという。嶺ならばどうするか。そう考えて里茉が紡いだ物語は竜胆に力を与えることであった。

「嶺くんは天井の模様を通してぼくに力を与えてくれた。それならきっと、先代も同じように竜胆に力を与えるだろうと思った。先代が竜胆の花の力を借りることができたのなら、娘が菖蒲の葉の力を借りることができたっておかしくない」

「まるで嶺さんの想いとお父様の想いが通じた先にこの菖蒲の刀が生まれたみたいね」

竜胆が刀を掲げた。刃はきらりと凛々《りり》しい光を放っている。

「不思議だわ。わたしにはこの刀の使い方が手に取るようにわかる。お父様もこんな気持ちで竜胆の羽織を身につけて、竜胆の紋の入った提灯を持ち、竜胆の蠟燭を使っていらっしゃったのかしら」

竜胆は一旦刀を鞘に収め、それから何度か鍔《つば》を合わせて数回音を鳴らした。するとぴんと張った音の中からすっと伸びた平行の脈の葉が生まれ、音の数だけ菖蒲の葉が現れた。菖蒲の葉はひらりと舞うと八十椿の膝の上に落ちた。まるで何年も前からやり慣れているといった手つきであった。

「これは魔除けよ。懐深いところ、心臓の近くに仕舞っておいて。この菖蒲の葉があなたの身を護《まも》ってくれるわ。この先何が起こるか分からないけれど、きっとあなたの役に立つはずよ」

竜胆は凛《りん》として涼やかに言った。私たちは言われた通り菖蒲の葉を懐深い、心臓の近くに仕舞った。

それから竜胆は八十椿の左の足の裏を確認した。おかとときを斬り捨てたことで、八十椿の所有も解けたのではないかと期待したのだが、残念ながら所有の徴は消えていなかった。

「おかとときの個を認識することは人間には難しい。一人斬り捨てたところでそれは個にとっては一部かもしれない。ぼくの所有を解くというのなら、ぼくを所有するおかとときをすべて正確に斬り捨てなければいけないだろう」

「では八十椿を所有する全てのおかとときを捜しに行きましょう」

竜胆が菖蒲の刀を傾けた。しかしその提案に八十椿は首を横に振る。

「いや、それは効率が悪いよ。それよりも先に主を倒してしまった方が早いと思う。主さえ倒してしまえばすべてのおかとときは力を失い、所有された者もすべて解放されるはずだ」

竜胆は八十椿の提案に同意した。しかし倒すにしても私たちは主の居場所を知らない。

里茉は少しだけ思案していたが、やがて閃き八十椿を動かした。

「ぼく達はこれまで散々おかとときに居場所を辿られてきた。これを逆手に取って主にこちらまで来てもらおう。竜胆、きみは主にとって喉から手が出るほど欲しい存在だ。主が梗子さんを手に入れるためにはきみも手に入れなくてはいけないのだから」

「つまり、わたしの名前をわざと出して主をここにおびき寄せるのね」

八十椿は頷いた。それから彼は少し緊張した面持ちで黙った。その後何かを決意したかのように顔を上げた。

「その名前を呼ぶ役割は、ぼくが担っても構わないだろうか」

竜胆が黙った。八十椿は続ける。彼は真っ直ぐに竜胆を見ていた。

「これはぼくの勝手な想いだけれども、ぼくはずっときみの名前を呼びたいと思っていた。初めて屋敷に来てから、きみは自分の名前を封じられて、ずっと『竜胆』であり続けた。屋敷の皆はきみを屋敷の新しい主としか見ていなかったと思う。その名前の後ろにいる十七歳の女の子のことを誰も見ていなかった。だけどぼくはそれがずっと寂しかった。竜胆ではなく十七歳のきみと話したいと、ずっとずっと思っていた」

竜胆は黙っていた。表情が読めなかった。しかし八十椿から目を逸らすことはなかった。竜胆は小さな声で、呼んで、と言った。

「菖子」

はっきりとした声だった。力強い声だった。

竜胆の表情が変わった。八十椿は再び菖子の名を呼ぶ。繰り返し、繰り返し、目の前にいる娘が竜胆から菖子に変わるまで、その姿形がはっきりと浮かび竜胆の枠を壊すまで、祈るように名を呼び続けた。

程なくして八十椿の喉の奥から「菖子」という文字がせり上がって来た。八十椿は苦しそうに咳いて、文字を吐き続けた。文字は金蚕《かなぶん》のように窓をめがけて飛んだ。文字の群れはがつがつと窓硝子にぶつかって次々と外へ飛んで行く。八十椿はまだ咳いていた。彼のくの字に曲がった背中を白い手が撫でた。その手は刀を振ったときとは違い、優しくたおやかであった。

それから暫くして、僅かに地面が揺れた。地震のような震動である。

すると巨大な魚が床から勢いよくせり上がって天井を突き抜けた。里茉の部屋が真っ二つに割れて片方が空高く舞い上がった。もう片方に残された私たちは驚きのあまり口を大きくあけて、空高く舞い上がった怪魚を見た。首が痛くなるほど天空を見上げたところに、唐織《からおり》、綴《てい》、緞子《どんす》、朱珍《しゅちん》、豪華《ごうか》絢爛《けんらん》な織物《おりもの》の継《つ》ぎ接《は》ぎで作られた眩しい巨大な魚が上空に飛んでいた。この怪魚の正体は鯉《こい》、金魚、鯰《なまず》、それとも。

暫く間を空けて怪魚が空から落ちて来て、もう無くなってしまった里茉の部屋の空間に再度沈んだ。途端に下方から白い紙吹雪が勢いよくばたばたと吹き上がり、私たちのいる場所まで流れ込んできた。まるで水飛沫《みずしぶき》だった。水飛沫。そう思うと今度は怪魚は徐々にせり上がり、半分だけ出した頭部から白い紙吹雪を噴水のように放出した。

そこで私たちはこの怪魚の正体を知ったのである。鯨であった。

それから錦の鯨は身体を戦慄《わなな》かせて耳を劈《つんざ》くような鳴き声を捻《ひね》り出《だ》した。私たちが知っている鯨の声ではない。この音は北陸の冬の激しい雷の音である。私たちは身を寄せ合い突如現れた謎の鯨を見た。

――お久しぶりね二代目竜胆。あの屋敷で最後に会ってからどのくらい経つかしら。今日は主の命で来たのよ。お前の名を辿らせてもらったわ。これからこれでお前を主のところに連れて行くわ。

ぞわぞわと響く中に一本の氷のようなものが走るおかとどき特有の声である。見れば巨大な錦の鯨の上におかとときの影がいくらかあった。それはやはり一人のときもあれば二十人ほどに分裂することもあった。瞬きする度に変わるのである。その輪郭はぼやけはっきりと形を判別することはできない。

呼ばれた娘はすっと立ち上がり錦の鯨を見据えた。天まで伸びるかと思うほどに真っ直ぐに伸びた背筋である。着物から白い紙吹雪がさらさらと零れ落ちるのも気にせずに娘は凛とした声で言った。

「お久しぶりでございますお客様。またお会いできて光栄でございます。しかもわざわざお迎えまで出していただけるなんて大変恐れ多いことでございます。しかしわたくしは廃業致しまして、竜胆の名も父に返上致しました。ここにいるのは叡一と梗子の娘、菖子でございます。ここは屋敷でもない。紫の羽織もない。わたくしも竜胆ではない。お客様を御持て成しできぬことお許しください」

菖子は美しく微笑んだ。八十椿の呼び掛けの甲斐《かい》あって、ここにいるのは竜胆ではなく菖子であった。

一方、おかとときは狼狽していた。菖子の物言いと、その手の中にある菖蒲の刀が目の端にちらついて仕方ないのだ。おかとときの中には軽い舌打ちをする者もあった。

——お前、その手にある道具はなんだね。まさか妙なことを企んではいないかね。

——物騒だな。念のためこちらで預からせてもらおう。

しかしおかとときの一人がすっと手を挙げたその瞬間、菖子が刀を抜きおかとときの手を斬り捨てた。おかとときは悲鳴をあげ、その斬り捨てられた腕は宙を飛んでたちまち霧散した。斬られたおかとときの身体から桔梗の花びらが点々と滴っている。しかしおかとときの数人がいくらか膨張を繰り返すと斬られた方は補われ元の姿に戻った。

おかとときが菖子を見てぞっとしたように身を寄せ合う。おかとときのこのような姿はこれまでに見たことがない。菖子は美しく微笑んだままよく通る声で言う。

「申し訳ございませんが、こちらはわたくしの大切な刀でございます。気安く触れないでくださいませ。ところで、高貴な御方のご命令でわたくしを迎えにいらっしゃったのでしょう、早くしてくださいませんこと。でなければわたくし、その巨大な魚ごと斬り捨てるかもしれませんわ」

おかとときは忌々し気に舌打ちをしたが、菖子の刀に恐れをなしていたため小猿の威嚇にしか見えなかった。おかとときは震えながら鯨の口を開かせた。

菖子は八十椿に視線を送ると、背筋を伸ばし堂々と鯨の巨大な口の中に入って行った。

私たちは追いかけるようにその後に続いた。

鯨の体内は万華鏡でできていた。上も下も見渡す限りの光の世界、青や紫や碧《みどり》などの眩しい模様が刻一刻と姿を変えていく。おおよそ鯨の口の中とは思えない。潮の香りも生臭さもなかった。

「おかとときはぼくの姿が見えていないようだったな」

八十椿が言った。確かにおかとときは菖子だけを見据えていて、私たちのことなどまるで見えていない様子であった。もしも姿が見えていたら、菖子に対抗する手段として八十椿を人質にとってもおかしくはなかった。

「それはさっき渡した菖蒲の葉のおかげだわ。それを身に着けている限り、おかとときは姿を見ることができないのよ」

やがて激しい震動が起こった。錦の鯨が動き出したのである。この鯨が泳ぐ場所はむろん海ではない。上も下もなく、また東西もなく、気が狂うほど広いおかとときの住まう闇の世界なのである。行きつく先はおかとときの主の待つ決戦の地かと思うと私たちの間に緊張が走った。

「何かしら、奥に何かが見えるわ」

ふいに菖子が言った。私たちは小走りに鯨の体内の奥へと進んでいった。刻一刻と変わる万華鏡の七色の光は、華々しさや幻想的な印象を私たちに与えることはなく、むしろ毒々しさや激しい頭痛を私たちにもたらした。上から下から引っ切り無しに与えられる万華鏡の複雑な模様の変化は私たちから平衡感覚を奪い、真っ直ぐに歩くことを困難にさせた。

奥にあったのは二つの大きな漁網の塊であった。これが天井から左右に吊り下がっているのだ。そしてよく見るとその細かい網目の中にいるのはどうやら人間なのであった。右には女、左には男が漁網の中にくるまって、うつろな目でどういうわけかビードロを、ぺこん、ぺこんと膨らませていた。

「惜菫だわ」

菖子の緊張した声が響いた。私たちは驚き目を凝らしたが、確かにそれは私たちがよく知っている人物であった。八十椿は惜菫を助けるために漁網を破ろうと手にかけたが、中から、

「いけナい」

と声がしたので思わず手を止めた。生気の無い声ではあったが確かに聞き覚えのある声だった。漁網の中にいる惜菫はぐったりとして今にも死にそうに見えた。

「僕を止めルな、そうするトこの鯨モ止まってシマウ」

惜菫は不思議な発音で続けた。そこで私たちはかつて藤潜から、おかとときに住まう場所にいると言葉を忘れてしまうと説明を受けたことを思い出したのである。私たちは耳を澄まして惜菫の言葉を拾った。惜菫は話を続けたが、定期的にそれを中断し、ビードロをぺこん、ぺこん、と膨らませることを忘れなかった。

この鯨の持ち主は、惜菫とてつ子の所有者でもあった。この鯨は、おかとときが浮世絵で見た鯨を模して拵えたものであるらしい。おかとときは風流を好むが生き物への理解が乏しい。鯨が肺で呼吸する生き物だということは知っていたが、肺が何なのかまでは分からなかった。だから肺だと思うものを鯨の内部に拵えた。漁網に人間を入れてビードロを膨らませば錦の鯨は動く仕組みになっている。だから左の肺に惜菫、右の肺にてつ子を入れ、ビードロを膨らませ鯨の肺を動かしているのである。

見ればてつ子も惜菫同様にひどく衰弱していた。ここの瘴気のためか、あるいはこの鯨を動かすのに体力を酷く奪われたか、てつ子の方もやはり言葉を忘れつつあるようで不思議な発音で言葉を綴《つづ》った。

「やはり二人をおかとときに渡してしまうのではなかった。すべてわたしの責任よ」

菖子は苦々しい表情で唇を噛んだ。しかしそのとき、惜菫がたどたどしい声でこう言ったのである。

「後悔はしテいなイ、どンナ場所でアろウとてつ子サンと共にいラレることハ幸福でアる」

ややあっててつ子も同じことを言った。しかし菖子は強く首を左右に振った。

「二人が共にいられることが惜菫の幸福だというのなら、現世で過ごさせてあげることが一番だと思うわ。何もこんなところじゃなくていいのよ」

そうこうしている内に鯨は静止した。どうやら主のいる場所に到着したらしかった。ならばこの鯨はもう用済みである。私たちは漁網を手で破り、惜堇とてつ子を救い出してやった。

菖子は私たちにやったのと同じ手順で何度も鞘と鍔を合わせて音を鳴らした。たちまち菖蒲の葉が現れたので、八十椿はそれを惜堇とてつ子の懐の奥深く、心臓の近い場所に仕舞ってやった。

鯨の口が大きく開いた。私たちが惜堇とてつ子を担いで鯨の口の先まで出ていくと寝殿造りの大きな屋敷が見えた。おかとときが何かを言ってくる気配はない。私たちが鯨の体内から外に出ると、錦の鯨の上にて菖蒲の刀に恐れをなしているであろうおかとときの固まりが見えた。

「お迎えどうもありがとうございました。感謝致します」

菖子が悠然と微笑むと、炎が一瞬勢いを増すかのようにおかとときの身体が膨張した。怯えているのだと私たちは思った。惜堇とてつ子を救出した今、鯨の肺は動かない。おかとときは、仕方なくそれを置き捨ててその場で霧散した。

おかとときの主がいるという寝殿造りの大きな屋敷の前に私たちはいよいよ歩み出た。しかし降り立つとどういうわけか風は下から上へと吹いている。見ると雲らしきものが風向き通りに下から上へと流れていき、向かって右側には青空らしきものが、左側には夕焼けの空らしきものが広がっている。秩序がまるでめちゃくちゃであった。

これから起こることがまるで予想がつかぬので、私たちは警戒して少しその場に立ち止まった。

「主がわたしのところへ来ず、わざわざ自分の屋敷まで招いたのは一体どういうわけかしら。しかも他のおかとときを使ってまで」

「恐らく弱っているからだと思う。主の体内には先代が植えた竜胆の種の根が張っているはずだ。梗子さんを追いかけてくるはずの主が屋敷にやって来なかったのもそのためだろう。むろん、あのまま放っておけば時間をかけても主はやって来ただろうけど」

私たちが大きな門の前で呆然としていると、ふと黄金色の風が吹いた。風は目に見える上に白檀の薫りがする。風はくるくると模様を描きやがて大きな桔梗の車輪となった。それは梗子が屋敷に乗って来たときのあの火の車に似ていたので、私たちは警戒しながらもそれに乗った。桔梗の車輪は金色から紫へと変わり寝殿造りの敷地《しきち》へと入っていく。

車の上で菖子が震えていた。恐怖のためかと思ったが、どうやらそうではなかった。気分が高揚し血が滾っているらしかった。

「あと少しでお父様の悲願が果たせるのかと思うと、様々な想いが溢れて胸が張り裂けそうになるわ。文を燃やし依り代を失くしたと知らされたとき、わたしは絶望のあまりどうにかなりそうだった。けれど今はこの刀がある。わたしはこの刀で主の息の根を止め、お父様の敵を討ち、必ずお母様を連れて帰る」

菖子の刀を握る手に力が入った。菖子はこの刃を、竜胆の根の張る主の心臓奥深くまで突き刺すことを夢想している。そのときの力の加減、主の心臓の固さ、それを切り裂く感触、それらが菖子の内を駆け巡って高揚させているのである。

車輪は大きな池の上の橋を渡り、四季折々の見事な庭を渡って行ったが、誰もそれに見惚れる者はいなかった。皆固唾を呑んで車輪の行きつく先を見守っていたのである。

やがて桔梗の車輪は寝殿へとたどり着き、静止した。花は萎《しお》れてその場で散った。

寝殿内の御簾《みす》は上がり内部の様子が窺える。そこに腰を下ろしているのは梗子であった。

「お母様！」

菖子は桔梗の車から飛び降り、地を駆けて寝殿までの階段を一息に駆け上った。梗子は驚いて顔を上げ、目の前にいる娘が幻ではないかと疑った。しかし抱き留めその頰に触れるとどうにも温かく本物なので思わず頰を緩めた。

「お母様、わたしはやはりお母様を諦めることができませんでした。お父様、ひいては檜葉、立山、白樺の悲願、何としても成し遂げとうございます」

「菖子、あれだけこちらに来てはいけないと言ったのに、お前を危険な目に遭わせるわけにはいかないと言ったのに、本当に強情な子」

しかし梗子は以前ほどきつい物言いはしなかった。うっすらと涙を浮かべ娘を抱き寄せるのみである。

私たちは惜菫とてつ子を担いで寝殿内までやって来た。猫の鳴き声がするので、ふと見ると、見覚えのある黒猫がいる。欄干には同様に二羽の金糸雀が止まり身を寄せ合って囀っていた。菖子はそれに気づくと感激のあまり声をあげた。

「檜葉、立山、白樺、お前たち生きていたの」

黒猫はぬああと鳴いて菖子の伸ばした指にじゃれるように顔を擦り付けた。あのとき感じた氷のような冷たさはなかった。血の通った温かさである。

「菖子、それは少し違うわ。ネロオとクレイとワアドは確かにあのとき天寿を全うしたの」

梗子がそう言うと菖子は驚き顔を上げた。

梗子は表情を曇らせ、少し離れた場に横たわる錦の着物の男の姿を見やった。私たちは瞬時に緊張した面持ちへと変貌した。この男が例のおかとときの王というべき存在、主だと気付いたからである。

しかし主は仰向けになったまま微動だにしなかった。身体を起こすどころか指一本動かさぬのである。菖子は警戒しながらおかとときの王に近づきその姿を見下ろしたが、瞼は深く閉じられ息も絶え絶えである。まるで大病を患った者が死に直面しているような姿で、とても菖子を所有する余力があるとも思えなかった。

「ネロオ達が今生きているのはね、あの方がご自分の寿命を分け与えてくださったからよ」

梗子はそう言って横たわるおかとときの王を見やった。

「叡一さんに竜胆の種を植え付けられたとき、あの方は確かに重傷を負ったけれども命にかかわるほどではなかった。ゆっくりだったけれども、まだ動くことができていたの。けれど、わたしが冷たくなったネロオとクレイとワアドを連れて屋敷から戻ったとき、この方は残っていた僅かな生命力をすべて彼等に与えてくださったのよ」

「すべての生命力をですか。そんなことをしてしまったらこの者は」

「そう、もうこの方の命はじきに尽きます」

梗子は悲しそうに目を伏せた。

「本当に憐れな方。あれほどわたしを花嫁として迎えることを夢見ていたのに、わたしの悲しむ顔は見たくないからと言って僅かに残った命をなげうってしまった」

母の一言に菖子の顔が歪んだ。その頬は白く、手元の刀は震えている。母の言葉の続きを聞きたくないとばかりに顔をそむけた。

「どうか誤解しないでおくれね菖子。わたしが今もお慕いしているのは叡一さんだけ。しかし十七年もお傍にいれば多少の情はわいてしまうもの。この方は辛うじて菖子をここに呼び寄せたけれども、もう菖子を所有できる力など残ってはいまい。わたしはこの方の死をここで看取《みと》ってやりたい」

そこまで聞いたとき、菖子は無念の表情を浮かべ唇を嚙み深く俯いた。

「わたしはお父様の仇《あだ》は討てぬというのですね」

「ええ。けれど、あの方の命が尽きれば、わたしとお前の所有は解け自由になります」

「わたしはお父様の悲願を果たしたいと思っていました。お父様の命を奪った憎き主を倒しお母様を連れて帰るつもりでいました。そうしなければお父様に申し訳が立たないと思ったからです。そのために新たな力も手に入れたというのに、これではあまりにも無念です」

「分かって頂戴、菖子」

梗子の瞳は悲しみで濡れていた。

「わたしとてこの方は憎い。この方は確かにとてもお優しかった。わたしを本当に大事にしてくださった。しかしその一方でわたしの十七年と人生を、そして叡一さんの命を奪った存在でもある。とても許せることではないわ。けれど、自らの命と引き換えに、わたしのネロオとクレイとワアドに命を与えてくださった恩はお返ししたいのよ」

菖子は刀を両手で握ったまま俯き震えていた。その胸には父への想い、檜葉たちの労苦、惜菫や藤潜や八十椿の抱えてきた苦しみが湧き上がっては熱く燃え滾り虚しく過ぎて行った。

暫くして菖子は静かに口を開いた。

「わかりました。この者に対して思うことは色々ございますが、しかし、皮肉なことにわたしがこの世に生を受け、お父様とお母様にお会いできたのもこの者のおかげなのです。憎い相手でありながら、ある意味で恩を受けた相手でもございます。わたしもお母様同様恩を返さねばなりますまい。どうぞお母様のお好きなようになさってください」

菖子は梗子に頭を下げると主から離れ、寝殿の隅に腰を下ろした。私たちも菖子の傍に腰を下ろし、事の顚末《てんまつ》を見守ることにした。衰弱していた惜菫とてつ子は横になり静かに瞼を閉じていた。

どのくらい時間が流れたであろうか。黒猫と金糸雀が無邪気に鳴いているところに、ふと八十椿が声をあげた。

「左腕が動く」

八十椿は左腕を上にあげ、天井に向けた手のひらの指をしきりに動かしていた。骨が抜け饂飩のようだった左腕の姿はそこになかった。今や腕は自由に動き、その指は花が開くように美しく機敏に動いている。

「菖子、ぼくの左腕の所有が解けたんだ。あいつらが持ち帰ったぼくの左腕は元に戻った。つまりおかとときは……」

そこまで言うと八十椿は言葉を詰まらせた。梗子のすすり泣きの声に気付いたからである。おかとときの王は息を引き取っていた。この二人の過ごした十七年を私たちは知りようがない。しかし主のために零す梗子の涙はそれは美しく清らかであった。二人の関係を知るにはこれで十分であろう。

梗子のすすり泣きが響く中、私たちは惜菫とてつ子の左足の裏を確認し、所有の徴が消えていることを認めた。おかとときの王が息絶え、すべてのおかとときが消滅したため、すべての所有が無効になったのである。おかとときの住まう場所に連れて来られたものは皆晴れて自由となったのである。

「ぼくの左腕の所有が解けた。惜菫とてつ子さんも自由になった。きっと屋敷にいる藤潜の所有の徴も消えているだろう。梗子さんも主から解放された。菖子、きみは先代の悲願を無事成し遂げたんだよ」

八十椿が言った。直接仇を取ることのできなかった菖子は実感が湧かないようであった。少し不安そうな菖子に八十椿は強い調子で繰り返す。

「菖子、自信を持って。きみはおかとときの王からおっ母さんを取り返すことができた。お父っさんの長年の悲願を成し遂げたんだよ。きみは薄情な娘なんかじゃない。きみはお父っさんの願いをすべて叶えたんだ。お父っさんの文を読んだぼくが保証する。本当だよ」

菖子が潤んだ目で八十椿を見る。

「お父様の文を読んだのは八十椿、あなただけ。わたし、信じてもいいかしら。お父様の悲願、無事成し遂げることができたかしら」

「そうとも。きみはすべてをきちんと成し遂げた。お父っさんもきっと心から喜び、きみを認めてくれるはずだ。そうでなくともきみはお父っさん自慢の娘だったんだ。お父っさんはきみを愛していた。文には確かにそう書いてあったよ」

瞬間、寝殿造りの床や天井、主の身体、私たち人間以外のものが全てどろりと溶けて流れ始めた。それは絵の具が絵画から滴っていくような、染料があらゆる形から逃げ出していくような奇妙な光景であった。形はすべて粘度のある色となって一方向へと流れていく。ちょうど風呂の栓を抜いたときに湯が穴をめがけて一気に流れていくように、この世界の色が崩れて流れていくのであった。

「菖子、ありがとう。よく頑張ってくれました。親としてはお前を危険に巻き込んでしまったことは情けなく思うけれども、叡一さんの悲願を無事成し遂げてくれたこと、とても誇りに思います。おまえは本当に立派な娘よ。わたしも叡一さんも、心からそう思っているわ」

梗子が微笑み菖子の肩に手をかけた。菖子は深く頷き、母の胸に顔を埋めた。

色が流れて行く方向に私たちもまた流されるように歩いていく。菖子は梗子の手を取り、八十椿は惜菫とてつ子の手を引いた。私の足元にはネロオがまとわりつき、頭上にはクレイとワアドが飛んでいる。

流れ行く色の中に大量の桔梗の花が浮いている。これらはおそらくこの世界にいた大量のおかとときであるだろうと私たちは思った。

時折、桔梗の花に交じって、おかとときに引かれてきたであろう人間が横たわっているのに遭遇した。足の裏を確認したが、いずれも徴はない。所有の徴がなくなってから、惜菫とてつ子は少しずつ言葉を思い出しつつあった。おそらくこの横たわる者たちもじきに我に返り色の流れる方向へと歩み始めることであろう。色の逃げる先に元の世界が待っていることに私たちは確信を抱いていた。この者たちもそれぞれの元の世界に戻って行けるはずである。

色の流れ行く先に大きな白い光の穴が見えた。私たちははぐれぬよう、お互いの存在を確認しながらその光に満ちた穴へと身を投じた。

屋敷に戻った頃、ちょうど夜は少しずつ明けて行く頃で、空気が冷たく澄み、夜の裾が白々と光っていた。異界から戻ってから菖子の菖蒲の刀は長い菖蒲の葉の束になっていた。菖子はそれを松の木の下にきゅっと結んだ。もう二度とおかとときが来ぬように、そんな願いが込められていたのかもしれない。

私たちは庭から大広間の宴会場に入って畳の上に倒れ込んだ。どっと疲れが出て身体は鉛のように重かった。緊張が解けたせいか夜通し起きていたからか眠い。

梗子は畳の上に腰を下ろし、黒猫のネロオを膝に乗せてうつらうつらしていた。梗子の十七年分の疲労はここに来て噴出したらしかった。

「長い旅が終わりました。どうぞお休みくださいお母様。いま寝具を持って参ります」

惜菫とてつ子は既に身体を寄せ合いすうすうと寝息を立てて眠っていた。二人の足の裏にはやはり所有の徴はない。

私たちは布団を貰いに商物の三人の離れへ行った。襖を開くと事情を何も知らぬ藤潜がひっと短い悲鳴を上げた。

菖子は藤潜に足の裏を見るように言った。藤潜は暫く混乱していたが、八十椿の自由に動く左腕や己の足の裏を見ると、急に脱力して大人しくなった。菖子はおかとときが滅んだこと、商物の三人の所有が解け自由になったこと、先代の竜胆はこのためにこの商売をしていたことを簡単に伝えた。藤潜は暫く呆《ほう》けている。突然のことだったので、喜びは藤潜の身体を十分に廻《まわ》っていかないらしかった。しかしその口元は心なしか緩んでいる。

「あなたは自由よ。あなたを迎えに来るおかとときはどこにもいない。藤潜の名を捨て本当の名を名乗り、この屋敷を出て、好きなように生きて行けばいいわ」

藤潜は自分の足の裏を何べんも注意深く眺めていた。それから暫くすると、呟くような声で名前を呼んでほしいと言い、本当の名前を菖子に告げた。菖子は座り直し背筋を伸ばした。

「算男《かずお》さん。これまでお勤め本当にご苦労様でございました。この屋敷の主として、先代の竜胆の娘として、そして菖子として、心より御礼申し上げます」

そして菖子は畳の上に三つ指ついて深々と頭を下げた。

算男の名はおかとときには辿られることはなかった。この部屋を訪問してくるのは夜明けの眩しい光だけである。私たちは白く輝く窓硝子を見やった。朝がもうそこまでやって来ている。

宴会場では梗子と晴巳とてつ子が布団の中で眠っている。算男は床の間で遊び回る黒猫と二羽の金糸雀を構いながら、これが檜葉と立山と白樺であったという事実を照らし合わせて不思議そうにしていた。

「じゃあぼくもそろそろ自分の家に帰ろうかな」

八十椿が庭から宴会場を見遣りながら言った。

「そうね、あなたももう自由なのだから、元の居場所に戻ることができるわ」

同じく庭に立った菖子が言う。八十椿は少し笑ってから目で菖子に合図を送り、自分の足の裏を見るよう促した。

八十椿の足の裏を見た菖子は驚きのあまり息を呑んだ。顔は一瞬にして真っ白になる。

地面から空に向けられた八十椿の足の裏には所有の徴が赤く深く刻まれていたのだった。

衝撃のあまり震える菖子とは正反対に、八十椿は悪戯が成功した子供のように無邪気に笑っていた。

「ぼくを所有しているのは実はおかとときじゃないんだ。だからおかとときが消滅したってぼくは自由にならない。ぼくはぼくを縛っているものとこれから戦わないといけない。きみの戦いは終わったけれど、ぼくの戦いはこれから始まるんだ」

八十椿は足の裏の赤い徴、枝園と刻まれた字を手の親指で繰り返しなぞった。菖子は無念そうに眉間に皺をよせ、瞼を閉じた。そして再び瞼を開くと、そこには八十椿の姿はどこにもなかった。そこにいたのは菖子の見知らぬ一人の少女であった。

「誰……？」

「八十椿の本当の姿だよ、菖子」

「里茉……？」

菖子が名前を呼んだ。賢い娘はおかとときが繰り返し呼ぶ名をしっかり覚えていたのだった。本当の名前を呼ばれた里茉は嬉しそうに笑っていた。

「あなた本当は女だったのね」

「うん、そう」

　里茉は地面を靴のつま先でとんとんと叩いた。これから出て行く人がよくする仕草だった。

「最後にひとつ、叶わなかった願いを聞いてほしいの。わたし、本当は菖子と友達になりたかった。そうなることをわたしはずっと夢見てきた。嶺くんに菖子のことを教えてもらったときから、ずっとずっとそれを願ってきたの……」

　里茉は足を揃えて菖子の前に真っ直ぐ立った。

「だけど、ごめんね。わたしは友達になるどころか、菖子を深く傷つけてしまった。試すような行為をしたり、大切な物を失わせたりした。友達になるにはあまりにも酷いことをし過ぎたと思う……」

　俯く里茉に菖子が言った。

「正直なところ、わたしはお父様の文を台無しにしたあなたを許せそうにないわ。そんな酷いことをする人とは、とても友達になれそうにないと思っている」

「うん……」

「だけど、人間関係は点のように瞬間的なものではなく、ずっと続いていく線みたいなものだと思っているの。だから憎んでいた相手が、友達になることだって十分あると思うの」

菖子は衝動的に里茉の手を取った。

「今のわたしはもう、里茉を友達だと思っている」

菖子の真っ直ぐな瞳が里茉を射た。途端に里茉の瞳に張られていた涙の膜がぷつんと切れてどっと涙が溢れてきた。

「あなたはおかとときと戦うわたしに何度も勇気を与えてくれた。そのおかげでわたしは困難を乗り越えることができたのよ。わたしはあなたの大切な友達だし、あなたもわたしの大切な友達だわ」

菖子が強くそう言うと里茉は俯き、涙を零しながら何度も頷いた。

「じゃあ、これからわたしが辛くて悲しくて苦しいことにぶつかったとき、菖子は助けに来てくれる？」

「当然よ」

「わたしがこの先、お母さんや、お父さんや、お兄ちゃんや、学校や、社会や、大きくて複雑な色んなものと戦わなきゃいけなくなったとき、わたしに勇気を与えてくれる？」

泣きじゃくる里茉の手は涙で濡れていた。その手を菖子が困った顔で握る。

「里茉、どうしてそんな言い方するの。何だかこれでお別れみたいな物言いをするのね。わたしもあなたと一緒に行くわ。わたしはお母様と晴巳さんと算男さんの所有を解いたのよ。あなただけ解かないわけにはいかないわ。あなたの徴を消すまでわたしの戦いは終わらないわ」

菖子が泣いている里茉の手を引っ張って、庭を駈けた。そして枝折戸に手を掛けて押し開いた。

「行きましょう里茉。あなたの元居た場所に、二人で」

振り向き笑った菖子の顔を里茉は涙で濡れた瞳で見た。菖子の瞳は眩しい光できらきらと輝いていた。それは嶺が持っていた里茉の大好きな輝きによく似ていた。里茉は強く頷き、菖子と共に屋敷を飛び出して行った。大きく立派に構えられた門からではなく、ささやかな枝折戸から。

朝が始まる眩しい世界を二人で駈けて行く中、里茉は囁くように言った。

「本当はね、わたし、菖子の友達よりももっと違う存在になりたかったの……。実を言うとわたしは、菖子に嶺くんの姿を重ねていたんだよ。だからわたしはこの物語に入るとき、わざと八十椿、男の子の姿で菖子の前に現れたの。赤は嶺くんの好きな色なのよ。だけど、わたし達は友達になってしまった。八十椿では友達以上の関係にはなれなかった。だからわたしは置いていく。八十椿と一緒に、わたしの嶺くんへの特別な気持ちも、こっちの世界に置いていくね……」

しかし里茉の言葉は菖子の耳には届かなかったらしかった。菖子は振り向き聞き返したが、里茉は答えなかった。

菖子と強く手を握り、里茉は元の世界へと戻って行った。

里茉の物語はこれで終わりを告げた。

里茉による思考実験は終わった。私は精神科医に全て報告し、里茉のための全十二回のカウンセリングの計画を新たに立て直すことを伝えた。また、精神科医は、里茉だけではなく母親の琴子にもカウンセリングが必要ではないかと言った。私はそれに同意した。

それで私はある日琴子をカウンセリングルームに呼び出した。そこでカウンセリングの打診をし、同意を貰えればミーティングを行う予定だったのだが、琴子は席に着くなり私にA4サイズの分厚い茶封筒を差し出した。私は面喰らいつつも、これが何であるかを尋ねた。

琴子は暫く黙っていたが、やがて苦々しい面持ちで、これが里茉のために書かれた嶺の小説のコピーであると答えた。私は驚きと喜びのあまり思わず息を呑んだが、琴子が話を続けたので姿勢を正して傾聴を続けた。

私から嶺の小説のコピーを貰えないかと打診された後、琴子は姉の丞子に嶺の小説のデータが残っていないか、あれば里茉のためにコピーしてもらえないか、直接家に行き頼み込んだ。丞子は嶺が里茉のために小説を書いて贈ったことを知らなかった。そしてそれが琴子の手によって大半が失われてしまったことを知らされたとき、丞子は珍しく感情的になった。穏やかな丞子からはおよそ聞いたことのない声で罵られた。丞子は琴子に摑みかかり、激しく琴子の身体を揺さぶり時には殴打した。そして琴子の行いを泣きながら責め立てた。

　琴子は無言でそれらを受けていた。今ここで怒り狂っているのは琴子の嫌いな姉ではなく、息子を失った母親なのだ。その気持ちは同じ母親である琴子には痛いほど分かる。そして自分がしてしまった事の重大さも。

　その日琴子はすぐに帰らされたが、後日丞子から連絡が来た。嶺の遺品から例の小説が見つかったので、すぐに取りに来てほしいという話だった。

「姉があたしに渡した小説は、データではなく既に印刷されたものでした。御覧の通り封筒は固く糊付《のりづ》けしてあって、里茉以外開封することができないようになっています。姉に信用されていないんですね、当然ですけど」

　琴子は自虐的に笑った。以前見せた気の強さとは打って変わって今はひどく痛ましく弱弱しかった。

「それでこの小説なんですけど、堀出さんから里茉に渡していただけないでしょうか」

　琴子がそう言ったとき、私は驚いて目を見開いた。

「えっ、ご自身で渡さないのですか。その、大変言いづらいのですが、小説を捨てた本人が渡した方が贖罪《しょくざい》にもなりますし、ええと、里茉ちゃんとの関係も修復できるのではないかと思うのですが」

　言葉を上手く選べなかったと自分で思っていたところに、琴子の嘲るような笑い声が響いた。カウンセラーなのに何もお分かりにならないのね、とでも言いたげな笑みだった。

「そうしたいのは山々なんですけど、今のあたしにはそれができないんです。そりゃあたしだって親ですから、里茉を大切に想っています。あたしの言動がどれだけ里茉の心を傷つけたか、想像すると胸が痛みます。早く里茉の痛みを取り除いてやりたい、早く謝罪しなきゃいけない、そう思います。だけど、だけどね、里茉の顔を見ると、あたし、本当にこんなのどうかしてるんですけど、かっとなってしまうんです。離れているときは里茉のことを大事に想えるのに、顔を見てしまうと腹が立って仕方ないんです。この小説も、どんな顔をして渡したらいいかわからない。それどころか、またかっとなって、今度は里茉の目の前でガスコンロの炎の中に投げ入れてしまうかもしれない。雪の日に飛び出して行った里茉の姿、今もあたしの目に焼き付いています。もしもあたしが小説を炎の中に入れてしまったら、どうなると思います。里茉は炎の中に腕を突っ込んでしまうでしょうね。あのときみたいに」

そう思うと怖くて。もう何もかもが怖くて。何もできない。

琴子は蚊の鳴くような声でそう言うと俯いてしまった。

「わかりましたお母さん。これは私から里茉ちゃんに渡しておきます」

私がそう言うと琴子は電池の切れかけた玩具のようにゆっくりと頷いた。

私は続けて里茉だけでなく琴子自身にもカウンセリングが必要であることを話した。私は以前のように噛みつかれることを覚悟していたが、意外にも琴子はすんなり受け入れた。あまりにもあっさりし過ぎていたので拍子抜けしたぐらいだった。あまつさえ琴子は私に対して深く頭を下げ、宜しくお願いします、とまで言った。

私の眼前に琴子の頭部が現れたとき、私は大きな疲労が彼女の全身を覆っていることに気付いた。琴子の目も、肌も、手も脚も顔も心も、すべてが疲弊して消耗しているのだった。

「あたしが変わらなければ、里茉はずっと苦しいままだわ……」

涙に震えるこの声を聞いたとき、私はこの気の毒な母親の助けにならねばならないと強く思った。

琴子から封筒を預かってすぐに、私は里茉をカウンセリングルームに呼び出した。

「突然呼び出してごめんなさい。今日はカウンセリングではないのですが、里茉ちゃんに渡さなければならないものがあるんです」

私は早速里茉に嶺の小説のコピーを手渡した。里茉は受け取るなり急いで封を開けようとした。しかし、強い興奮と手の震えと何より丞子の封が頑固だったのもあって容易に開けることができなかった。私は里茉の許可を貰い自前のハサミで封を開けた。

強い力で紙の束を引き抜き、中身を急いで確認する。そこには確かに竜胆の乙女がいた。嶺が里茉に与えた永遠の友、菖子。菖子と再会できた喜びで里茉の目は涙でいっぱいになっていた。

泣きながら小説を握りしめる里茉に、私は琴子のことを話した。小説のコピーを貰いに丞子に頼んだのは琴子だということ、しかしこれを受け取っても里茉には渡せなかったということ、琴子もこれからカウンセリングと治療を受けていくということを簡単に話した。

里茉は琴子の名前を出すと身体を強張らせたが、以前のように他人事のような顔はしなかった。

「お母さんもカウンセリングと治療をするんですか」

「二人が一緒にカウンセリングを受ける予定は今の段階ではありません。しかし互いの様子を見て必要ならば数回はあるかもしれません。これはあくまでも二人の関係の改善のため。関係が悪化する恐れがある場合は即座に打ち切り個別のカウンセリングに切り替えます」

「カウンセリングを経て、最終的にわたしはお母さんを許さないといけないということですね……」

「そういうわけではないのよ里茉ちゃん。自分の心に嘘を吐いて無理をして許さなくてもいいの。お母さんのしたことは許せないことだと八十椿は言っていた。報復したいぐらい憎いとも言っていたじゃない」

「だけどわたしは報復を選ばなかった。菖子と約束した……」

「里茉ちゃん、どうか誤解しないで。菖子も言っていたじゃない。人間関係は点と点ではなく直線的なものだと。そうよね。お母さんのカウンセリングも同じよ。里茉ちゃんとお母さんの関係も、カウンセリングで良い物に変化していく可能性があります。八十椿と菖子の関係が変わったように、里茉ちゃんとお母さんの関係も変わる可能性があるの。許す許さないではなく、関係を変えていくのよ」

菖子の例の言葉が嶺が紡いだものであったか、里茉が紡いだものであったか、私には判断できない。しかしどちらにしても里茉の心には深く刻まれているはずである。カウンセリングを経ても和解できなかった親子を私はこれまで何人も見てきた。しかし改善の余地があるのならその可能性にかけてほしい。菖子もきっとそう言ってくれるはずだ。私とて菖子と長い間過ごしてきたのだ。菖子が里茉の幸福を願わないはずがないではないか。

長い沈黙が訪れた。

「お母さんのことは許せないけど、別に嫌いってわけじゃない。例のことは許せないし今も憎んでいるけれど、お母さんにしてもらって嬉しかったこともたくさんあった。お母さんとの関係がいい方向に変わっていくのなら、やってみます」

里茉は強く言い放った。そのときの里茉の凛々しい表情はどこか菖子の勇ましさと似ていた。菖蒲の刀をおかとときの闇の中に鋭く切り入れたときの菖子の姿と、真っ直ぐ見据えて私に言い放ったときの里茉の姿が私の中で重なった。

私は深く頷き、里茉の手を取った。里茉は頼もしく微笑んだが、やがて瞳が潤んでいった。里茉は肩を小刻みに震わせ、秘密を打ち明けるような声で言った。

「堀出さん、わたし、頑張る。菖子と一緒に頑張ってみる。そしたら、そしたらさあ、わたし、今度こそちゃんとお母さんに愛してもらえるかなあ……」

里茉の瞳からぼろぼろと涙が零れて止まらなかった。私は返事をする代わりに、里茉の手を強く握った。思っていたよりも力が入った手に、私は菖子が一緒に手を握ってくれているような気がした。

里茉と琴子のカウンセリングは順調に進んだ。相変わらず二人を同席させることはないが、投薬治療で琴子の精神が少しずつ改善していると精神科医が言ったので、二人が顔を合わせる日が近いうちにやってくるのかもしれないと思った。

里茉は二日、三日と少しずつ学校に通い始め、今ではほぼ毎日通っているようだった。隣の席の女の子が優しく穏やかなので、彼女とよく会話すると里茉は話した。このまま話せる人数が増えていくと嬉しい、と里茉は前向きなことを言い、そのときの表情が決意をしたような強いものではなく、ごく自然な柔和なものであったので、私は微笑んだ。

高校三年生の夏休みに入る前のことだった。里茉は白いブラウスの眩しい夏の制服姿でカウンセリングルームに入って来て、何枚かのスケッチを私に見せた。

「丞子おばさんがわたしにくれたんです。嶺くんの遺品を整理していたら出てきたから、わたしにって」

それは全部で八枚あった。どれも同じ髪型の女の子で、それが里茉であることはすぐに気が付いた。しかしお世辞にもあまり上手とはいえなかった。

「どうですか嶺くんの絵。そこそこでしょう」

私は思わず苦笑した。物事に情熱的に取り組む嶺が何をやってもそこそこだったということを思い出したのである。

しかし上手くはないものの、やはり生き生きとしている。嶺の瞳が常に輝いていたという里茉の発言にも頷けるものがある。そこにいる八枚の里茉は、澄ました表情もあれば微笑んでいるものもあり、目の光彩や髪の一本一本までこだわって描かれ、ひとつひとつが輝いて見えた。

何より私をはっとさせたのは、その色使いである。薄紅、朱、蘇芳《すおう》、桜、臙脂、すべて赤色の色鉛筆で描かれていたのである。さまざまな赤の色が美しく、愛らしく、温かく里茉を彩っているのだ。そして私はあることに気づき思わず唇を噛んだ。赤は嶺の好きな色だ。

私は嶺の隠された気持ちを里茉に伝えるべきか悩んだ。しかし散々悩んで口にしなかった。

スケッチを里茉に返したとき、里茉は微笑んでそれを受け取ったが、そのときの里茉の瞳は切ない光で満ちて眩しいほどであった。里茉は私をよく見ていた。そして私が気付くことに里茉が気付かないわけがないのだった。

私は胸の奥がちりりと痛むような感覚に襲われた。それは澄んだ硝子に細かな亀裂がいくつも走ったときの印象に近かった。

「わたしはこれから年を重ねて、今年には嶺くんと同じ年齢になって、そして来年には嶺くんよりも年上になる。わたしはどんどん未来に行って、嶺くんはどんどん過去のものになっていく。わたしはそれを受け入れていかなければいけない。だけど、今は菖子がいるから大丈夫です。菖子ならどうするか、何て言ってくれるか、嶺くんが残してくれた友達と、わたしはこれから生きていくつもりです」

竜胆の乙女　わたしの中で永久に光る（了）

あとがき

※この文章は読者の皆様が本編を読み終わったことを想定して書かれています。物語の核心に触れていますので本編未読の方はお気を付けください。

「物語」というものは不思議なものだと思います。読者に生きる希望を与える反面、二度と立ち上がれないような大きな衝撃を与えることもあります。

今回私はこの不思議な「物語」というものを分解し、見つめ直したいと思いました。それでできたのが今回の作品です。

「物語」というものは、「原作者」「物語の紡ぎ手」「登場人物」「物語の受け手」というもので構成されていると考えています。私はこの役割を一列に並べたり、逆に役割の垣根を壊して入れ替えたりしながら、「物語」というものを見つめ直してみたかったのです。里茉ちゃんと堀出さんには役割の垣根を壊すという意味で特に頑張ってもらいました。

しかし私が何より力を入れたのは「物語」による里茉ちゃんの救済でした。私が「物語」の分解に熱心だったのは「物語」に人を救う力があると信じていたからです。

この作品は問題作であったかもしれません。不気味なホラーのように見えたかもしれません。しかし私にとっては最初から、そして今も、嶺くんと里茉ちゃんによる真っ直ぐで純粋なお話なのです。里茉ちゃんが菖子と「物語」を終わらせることができたこと、そして永遠の友になれたことを嬉しく思います。

この本を手に取ってくださった方、そして出版するにあたって力を貸してくださった方々に心からお礼申し上げます。

fudaraku（ふだらく）

＜初出＞

本書は、第 30 回電撃小説大賞で《大賞》を受賞した『竜胆の乙女／わたしの中で永久に光る』を加筆・修正したものです。

メディアワークス文庫

竜胆《りんどう》の乙女《おとめ》
わたしの中《なか》で永久《えいきゅう》に光《ひか》る

fudaraku《ふだらく》

2024年2月25日　初版発行

発行者　山下直久
発行　株式会社KADOKAWA
〒102-8177　東京都千代田区富士見2-13-3
0570-002-301（ナビダイヤル）
装丁者　渡辺宏一（有限会社ニイナナニイゴオ）
印刷　株式会社暁印刷
製本　株式会社暁印刷

●お問い合わせ
https://www.kadokawa.co.jp/（「お問い合わせ」へお進みください）
※内容によっては、お答えできない場合があります。
※サポートは日本国内のみとさせていただきます。
※Japanese text only

※定価はカバーに表示してあります。

Printed in Japan
ISBN978-4-04-915522-8 C0193

メディアワークス文庫　https://mwbunko.com/

本書に対するご意見、ご感想をお寄せください。

あて先
〒102-8177　東京都千代田区富士見2-13-3
メディアワークス文庫編集部
「fudaraku先生」係

軍神の花嫁

水芙蓉

貴方への想いと、貴方からの想い。
それが私の剣と盾になる。

「剣は鞘にお前を選んだ」

　美しい長女と三女に挟まれ、目立つこともなく生きてきたオードル家の次女サクラは、「軍神」と呼ばれる皇子カイにそう告げられ、一夜にして彼の妃となる。

　課せられた役割は、国を護る「破魔の剣」を留めるため、カイの側にいること、ただそれだけ。屋敷で籠の鳥となるサクラだが、持ち前の聡さと思いやりが冷徹なカイを少しずつ変えていき……。

　すれ違いながらも愛を求める二人を、神々しいまでに美しく描くシンデレラロマンス。

メディアワークス文庫

第28回電撃小説大賞《メディアワークス文庫賞》受賞作

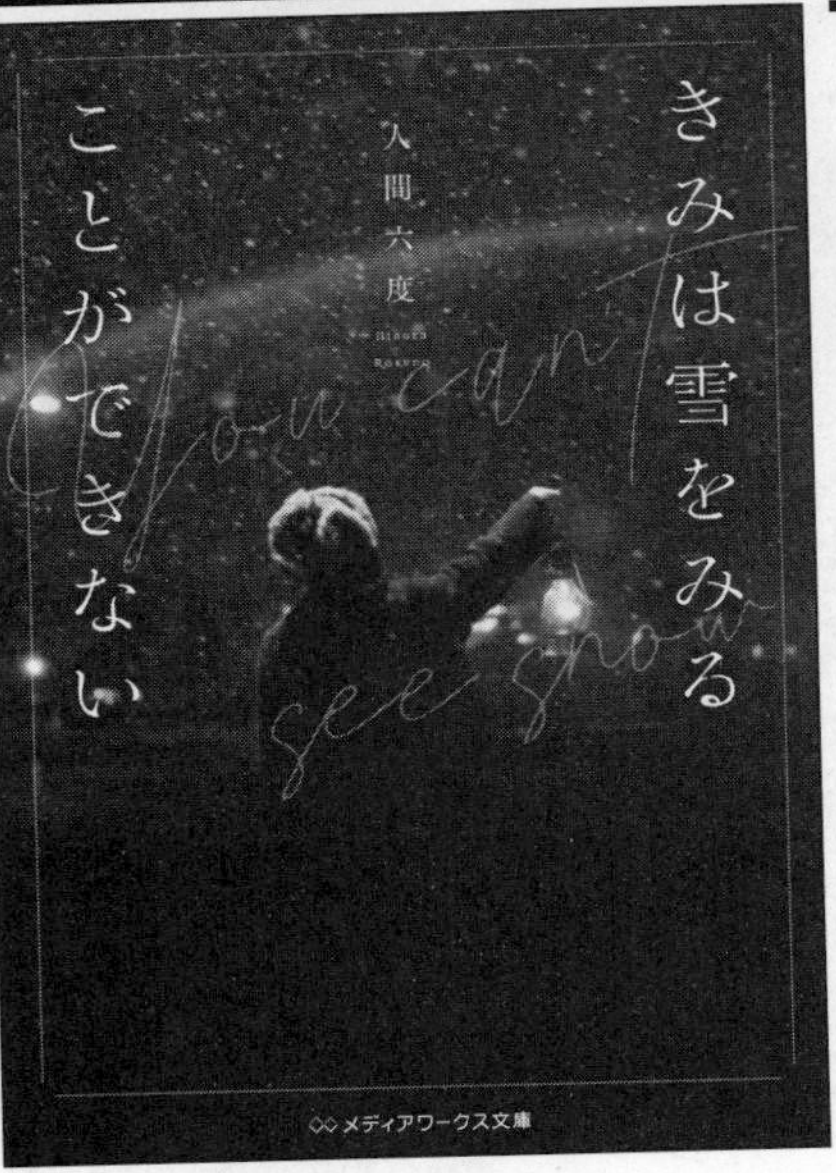

きみは雪をみることができない

入間六度

恋に落ちた先輩は、冬眠する女性だった——。

　ある夏の夜、文学部一年の埋　夏樹は、芸術学部に通う岩戸優紀と出会い恋に落ちる。いくつもの夜を共にする二人。だが彼女は「きみには幸せになってほしい。早くかわいい彼女ができるといいなぁ」と言い残し彼の前から姿を消す。

　もう一度会いたくて何とかして優紀の実家を訪れるが、そこで彼女が「冬眠する病」に冒されていることを知り——。

　現代版「眠り姫」が投げかける、人と違うことによる生き難さと、大切な人に会えない切なさ。冬を無くした彼女の秘密と恋の奇跡を描く感動作。

　会うこともままならないこの世界で生まれた、恋の奇跡。

メディアワークス文庫